Le Syndicalisme au Québec

Boréal

Conception de la couverture: Gianni Caccia
Illustration de la couverture: Marc Kokinski

Dépôt légal: 3e trimestre 1991
Bibliothèque nationale du Québec

Distribution exclusive pour le Canada: Dimedia

Données de catalogage avant publication (Canada)

Dionne, Bernard, 1951-

Le syndicalisme au Québec

(Boréal express: 1)
Comprend des références bibliographiques: p.

ISBN 2-89052-414-0

1. Syndicalisme - Québec (Province) - Histoire.
2. Syndicats - Québec (Province). I. Titre.
HD6529.Q8D56 1991 331.88'09714 C91-096761-X

Table

Liste des tableaux

Liste des figures

Liste des sigles

CAD	Comité d'action démocratique
CCF	Cooperative Commonwealth Federation
CCMTM	Conseil central des métiers et du travail de Montréal
CCSNM	Conseil central des syndicats nationaux de Montréal
CCT	Congrès canadien du travail
CEQ	Corporation des enseignants du Québec, puis Centrale de l'enseignement du Québec
CIC	Corporation des instituteurs et institutrices catholiques du Québec
CMTC	Congrès des métiers et du travail du Canada
CMTM	Conseil des métiers et du travail de Montréal
CNMTC	Congrès national des métiers et du travail du Canada
COI	Congrès pour l'organisation industrielle
COPS	Cartel des organisations provinciales de santé
CPQMC	Conseil provincial du Québec des métiers de la construction
CSC	Confédération des syndicats canadiens
CSD	Centrale des syndicats démocratiques
CSN	Confédération des syndicats nationaux
CSU	Canadian Seamen's Union
CTC	Congrès du travail du Canada
CTCC	Confédération des travailleurs catholiques du Canada
CTM	Conseil du travail de Montréal (1940 et 1958)

FAS	Fédération des affaires sociales
FAT	Fédération américaine du travail
FCNSI	Fédération canadienne nationale des syndicats indépendants
FCT	Fédération canadienne du travail (1908 et 1982)
FESP	Fédération des employés de services publics
FIIQ	Fédération des infirmières et infirmiers du Québec
FNEEQ	Fédération nationale des enseignants et des enseignantes du Québec
FOMN	Fédération ouvrière mutuelle du Nord
FPTQ	Fédération provinciale du travail du Québec
FRAP	Front d'action politique
FTQ	Fédération des travailleurs et travailleuses du Québec
FUCMA	Fraternité unie des charpentiers-menuisiers d'Amérique
FUIQ	Fédération des unions industrielles du Québec
LUO	Ligue d'unité ouvrière
NPD	Nouveau Parti démocratique
OUTA	Ouvriers unis du textile d'Amérique
PCC	Parti communiste du Canada
RAQ	Régie des alcools du Québec
RCM	Rassemblement des citoyens et des citoyennes de Montréal
SFPQ	Syndicat des fonctionnaires provinciaux du Québec
SPPGQ	Syndicat de professionnelles et professionnels du gouvernement du Québec
TUA	Travailleurs unis de l'automobile
UIOVD	Union internationale des ouvriers du vêtement pour dames
UPA	Union des producteurs agricoles

Introduction

Le Canada compte près de quatre millions de syndiqués; le Québec, un peu plus de un million deux cent mille. Au cours des années 1987 à 1990, pas moins de quatre mille cent soixante-six demandes d'accréditations syndicales ont été recensées au Québec seulement, dont plus de 68 % ont été accordées; cela signifie que de nouvelles organisations syndicales naissent et se développent chaque jour, malgré les crises économiques des années 80. Le syndicalisme est donc loin d'être mort et il est devenu, au fil des ans, un important partenaire social et économique. Qui songerait, aujourd'hui, à ne pas consulter le mouvement syndical sur les orientations économiques de l'État, la formation de la main-d'œuvre, la réforme du système de santé et de bien-être social, et quoi encore?

À l'origine du mot syndicat, il y a «syndic», celui qui représente les intérêts d'une ville; un conseiller, un avocat (le syndic assistait un client dans une action en justice). Ainsi, un syndicat est une association privée que forme un groupe d'individus pour défendre ses droits et ses intérêts. De fait, les premières associations ouvrières, sous la forme de sociétés de secours mutuel ou de groupes clandestins de résistance, expriment d'abord une révolte ouvrière devant le machinisme et l'exploitation capitaliste. Puis les syndicats se mettent en place, c'est-à-dire des organisations professionnelles de défense des intérêts des travailleurs salariés dont l'objectif est de monopoliser l'offre de travail dans un métier donné afin d'en exiger le prix le plus élevé possible. Ces syndicats demandent une cotisation à leurs membres dans le but de constituer des caisses d'assurance en cas de chômage ou d'accident de travail; ils surveillent particulièrement l'apprentissage et l'embauchage de nouveaux travailleurs. Au sens d'association ouvrière, le terme «syndicat» apparaît en France en 1839. En Angleterre, les *trade unions* existent dès le début du siècle et se regroupent dès 1838 en une association générale de travailleurs, connue sous le nom de «mouvement chartiste».

Différents types de syndicalisme

Les syndicats se limitent d'abord aux ouvriers les plus qualifiés dans des métiers où subsistent de fortes traditions artisanales comme chez les typographes, les cordonniers et les charpentiers-menuisiers. D'abord dispersés, ils se regroupent et créent des organisations nationales, comme le Congrès des métiers et du travail du Canada, fondé en 1886. L'évolution du capitalisme au XXe siècle force les syndicats à regrouper les travailleurs non qualifiés dans la grande entreprise de production de masse. Ensuite, la tertiarisation de l'économie et le rôle grandissant de l'État amènent les syndicats à intégrer les cols blancs et les fonctionnaires. En somme, nous pouvons désigner trois types de syndicalisme: un *syndicalisme de métier*, centré sur les valeurs professionnelles, le libéralisme économique et l'abandon de la gestion de l'entreprise à la responsabilité patronale; c'est le syndicalisme dominant à la Fédération américaine du travail et dans les grands syndicats internationaux. Puis un *syndicalisme de défense économique*, qui correspond à l'arrivée des syndicats que l'on dira «industriels»; la stricte défense du métier fait alors place à la défense économique, à la lutte pour l'amélioration du niveau de vie et à des revendications portant sur les caisses de retraite, les vacances, les assurances et la législation sociale.

Enfin, le *syndicalisme de représentation* repose sur le prélèvement automatique de la cotisation syndicale à la source, dans les secteurs public et parapublic, et sur l'expression des intérêts de chaque groupe d'employés face à l'État.

Mais l'action syndicale est complexe et multiforme; elle suit le développement du capitalisme et cherche à s'adapter aux bouleversements du mode de production, tout en reflétant les choix sociaux et idéologiques des syndiqués. On peut retenir ici quatre grands modèles d'action syndicale, à la suite de Jacques Dofny et Paul Bernard (1968): le gompérisme, l'anarcho-syndicalisme, le communisme et le trade-unionisme. Le gompérisme, du nom de Samuel Gompers, fondateur de la Fédération américaine du travail aux États-Unis, ne remet pas le capitalisme en question, mais il lui oppose de puissants syndicats de métiers qui cherchent à s'approprier la plus grande part possible du gâteau. L'anarcho-syndicalisme met en valeur la classe ouvrière comme productrice des richesses sociales; il préconise l'action directe contre les capitalistes et, dans une certaine mesure, on en retrouve des traces à la CSN des années 60 et 70. Le modèle communiste subordonne l'action syndicale à la prise du pouvoir par le Parti communiste; il est actif au cours des années 30 avec la Ligue d'unité ouvrière. Enfin, le modèle trade-unioniste vise à instaurer une démocratie industrielle et développe une idéologie social-démocrate qui trouve son prolongement sur le terrain politique; ce modèle a inspiré l'action des grands syndicats internationaux et de la FTQ, qui appuient le NPD ou le Parti québécois.

Avant de se constituer comme mouvement social, le syndicalisme recherche d'abord une légitimité et une légalisation; ensuite reconnu socialement, il se trouve aux prises avec les problèmes que pose la responsabilité qui est celle de toute institution: arbitrer les différentes revendications émanant des corps de métiers, des regroupements locaux, des professions; revendiquer de meilleures conditions de travail pour ses membres tout en se préoccupant du sort des chômeurs et des assistés sociaux; faire appel à l'État pour combattre les inégalités et négocier avec l'État-employeur un statut enviable pour les syndiqués. En somme, le syndicalisme moderne est aujourd'hui à la croisée des chemins. Quelles ont été les grandes étapes de cette évolution d'un mouvement social devenu institution et quelles sont les perspectives actuelles et à moyen terme du syndicalisme québécois? Telles sont les questions auxquelles ce livre entend apporter des éléments de réponse.

Un regard sur l'histoire du mouvement syndical québécois permettra de désigner les influences extérieures et les facteurs internes de développement du syndicalisme tout au long des XIXe et XXe siècles. Le syndicalisme actuel sera analysé sous l'angle de ses structures, de ses effectifs et de ses tendances récentes. Enfin, nous considérerons les grands défis qui se présentent aujourd'hui: changements technologiques, libre-échange, négociations dans le secteur public, lutte des femmes pour l'équité, place des jeunes, et nous examinerons les nouvelles approches dont le syndicalisme devra tenir compte pour relever ces défis.

En terminant, nous aimerions remercier les personnes suivantes qui nous ont aidé d'une manière ou d'une autre au cours du travail de préparation de cet ouvrage. Tout d'abord, nous voudrions souligner notre dette envers l'historien Jacques Rouillard, dont les travaux sur les syndicats nationaux et la CSN, de même que la synthèse de l'histoire du syndicalisme québécois qu'il a publiée, aux Éditions du Boréal, ont facilité notre propre recherche. Ses conseils, ceux de France Racine, du Centre de recherche et de statistiques sur le marché du travail du ministère du Travail du Québec, de Robert Demers, de la Fédération des travailleurs et travailleuses du Québec, de Me Carol Jobin, professeur en sciences juridiques à l'Université du Québec à Montréal, de Mario Robert, du centre de documentation de la CSN, de Martine Goyette, du Bureau de renseignements sur le travail de Travail Canada, et de Paul-André Linteau, du département d'histoire de l'Université du Québec à Montréal, ont aidé l'auteur à préciser bien des choses. Nous leur en sommes reconnaissant, tout en demeurant seul responsable du produit fini.

Les mots pour le dire

Il y a syndicat et syndicat, surtout au Québec où nous en avons connu des internationaux, des catholiques, des nationaux, des communistes, des industriels, des «jaunes» et des indépendants! Avant d'aborder l'histoire du syndicalisme québécois, établissons quatre précisions d'importance.

Première précision: il existe des syndicats *internationaux* et des syndicats *nationaux*. Les premiers sont affiliés à des syndicats américains, qui ont leur siège social à New York, Washington ou Detroit; les seconds font partie d'organisations strictement canadiennes. Ce fait n'empêche pas les syndicats internationaux de cohabiter avec les syndicats nationaux au sein de la Fédération des travailleurs et travailleuses du Québec (FTQ), par exemple.

Deuxième précision: on distinguera les syndicats de *métiers*, qui regroupent les travailleurs selon leur métier ou leur profession (les plombiers, par exemple), des syndicats *industriels*, qui rassemblent les travailleurs selon l'entreprise, tous métiers confondus.

En troisième lieu, il convient de qualifier les syndicats d'après le type de liens qu'ils établissent entre eux: c'est ainsi qu'on aura affaire à des syndicats *indépendants*, lesquels refusent de s'affilier à une centrale syndicale; *la centrale*, elle, regroupe des syndicats du pays ou d'une province canadienne. Mais attention: les *sections locales* (c'est-à-dire des regroupements de travailleurs dans une entreprise, un métier ou une région) des syndicats internationaux sont affiliées à la FTQ, tandis que les *syndicats internationaux* eux-mêmes (dans l'avionnerie, la métallurgie, etc.) sont affiliés à la grande centrale syndicale, le Congrès du travail du Canada (CTC). Certaines sections locales des syndicats, que l'on nomme syndicats à *charte directe*, peuvent être affiliées directement au CTC, de même que certains syndicats locaux sont affiliés directement à une centrale comme la Centrale des syndicats démocratiques (CSD), sans passer par l'intermédiaire d'une *fédération professionnelle* de syndicats; la fédération, elle, représente les travailleurs sur une base professionnelle, à l'échelle de la province. Les *conseils du travail* (à la FTQ) ou les *conseils centraux* (à la CSN), quant à eux, regroupent les travailleurs à l'échelon municipal ou régional: le Conseil du travail de Montréal (CTM) ou le Conseil central des Laurentides (CSN).

Il est important de préciser que les syndicalistes n'acceptent pas dans leurs rangs des associations mises sur pied par l'employeur lui-même pour éviter la syndicalisation de ses employés: ces organisations sont appelées des *syndicats de boutique* ou des syndicats «jaunes» (ce terme vient des États-Unis et désigne les *yellow-dogs-contracts* que des employeurs sans scrupules signaient avec de faux représentants des employés) et elles sont mises au ban du mouvement syndical.

CHAPITRE 1

Histoire du syndicalisme au Québec, XIXe et XXe siècles

Les syndicats constituent aujourd'hui une force importante au sein de la société québécoise, avec plus de un million de membres. Mais il n'en a pas toujours été ainsi. De fait, le syndicalisme a connu une existence difficile, ponctuée de durs conflits pour la reconnaissance syndicale et le droit de négocier des conventions collectives de travail. Avant 1872, les syndicats étaient à toutes fins utiles illégaux au Québec et au Canada. Et ce n'est qu'en 1944 que le droit de grève est balisé par la loi.

C'est à cette histoire que nous nous attacherons, car elle est essentielle à la compréhension des principales caractéristiques du mouvement syndical actuel. Depuis sa naissance et sa légalisation (1800-1880), le syndicalisme a connu des phases de consolidation (1880-1918), de résistance (1919-1939), d'institutionnalisation (1940-1957) et de radicalisation (1958-1990).

NAISSANCE ET LÉGALISATION DU SYNDICALISME (1800-1880)

Les années 1800 à 1880 sont marquées par des événements politiques d'importance au Québec, en particulier les rébellions de 1837-1838, l'Acte d'Union de 1840 et finalement la Confédération canadienne de 1867, qui établit le cadre fédéral canadien dont il faudra tenir compte dans l'analyse du syndicalisme québécois.

En toile de fond, l'émergence d'un capitalisme industriel vient bousculer les rapports sociaux traditionnels. Une nouvelle classe d'entrepreneurs capitalistes voit le jour, qui accompagne la révolution industrielle en cours et transforme les ateliers des artisans en fabriques équipées de machines à vapeur. L'industrialisation se concentre surtout à Montréal et, vers 1880, elle s'étend à un certain nombre de villes de moyenne importance. Cette expansion s'effectue surtout dans l'industrie manufacturière légère, qui embauche une main-d'œuvre abondante et sous-payée et produit des biens de consommation courante tels la chaussure, le textile, le vêtement, les aliments. L'industrie lourde, liée au matériel de transport (chemins de fer), est concentrée à Montréal.

L'industrialisation entraîne la formation d'une classe ouvrière. Celle-ci regroupe essentiellement d'anciens paysans et des artisans devenus ouvriers, des journaliers et des travailleurs de la construction. Vendre sa force de travail à un employeur en retour d'un salaire et être dépossédé des moyens de production, telles sont les caractéristiques qui définissent l'ouvrier. Au XIXe siècle, ses conditions de vie et de travail sont pénibles: faibles salaires, longues journées de travail, assurances et congés inexistants, mauvaises conditions de logement, taux de mortalité élevé, important chômage saisonnier. Les familles ouvrières sont mobilisées au grand complet: enfants, femmes et hommes découvrent l'univers industriel. Avant les années 1870-1880, les entreprises sont petites et artisanales; les grands travaux publics, la coupe du bois, les transports et la construction embauchent alors davantage d'ouvriers que les manufactures.

En vertu de l'article 92 de l'Acte de l'Amérique du Nord britannique (1867), les provinces disposent de la compétence législative relativement à la réglementation des rapports collectifs et individuels de travail, car ces relations relèvent du droit civil, de compétence provinciale. Cependant, le gouvernement fédéral peut aussi légiférer dans des secteurs relevant de sa compétence, tels les chemins de fer, les aéroports, les stations de radiodiffusion, les banques, les ports, le télégraphe, etc.

Les débuts du syndicalisme

À l'origine, les travailleurs se regroupent dans des «cercles ouvriers», des «sociétés amicales et bienveillantes» ou des «sociétés de secours mutuel», telles l'Union ouvrière Saint-Joseph, fondée à Montréal (1851), et la Société des artisans (1876). Ces divers types d'associations ont pour but de mettre en commun des ressources financières afin de secourir la famille d'un travailleur accidenté ou décédé, ou en chômage. La plupart du temps, ces associations sont clandestines ou se confinent à la sphère privée des relations entre leurs membres, sans chercher à organiser les travailleurs en vue d'une négociation avec le patron. L'arrivée des premiers syndicats marque l'émergence d'une conscience de classe ouvrière et l'unité des travailleurs autour de revendications salariales et de conditions de travail meilleures.

Au Canada émerge un syndicat dès 1798, parmi les charpentiers de Halifax (Palmer, 1983). Au Québec, c'est en 1818 qu'apparaît le premier syndicat, qui s'appelait alors «union», chez les charpentiers-menuisiers de Montréal; il disparaît avant la fin de l'année. Le tableau 1.1 donne la liste des premiers syndicats créés entre 1818 et 1879, avec 32 corps de métiers différents. Les charpentiers-menuisiers, les cordonniers, les typographes, les tailleurs de vête-

TABLEAU 1.1

Les premiers syndicats québécois (1818-1879)

Métier	Lieu	Années d'activité connues
Bateliers	Québec	1870-84
Boulangers	Montréal	1834, 54, 73-77
Briqueteurs	Montréal	1867
Charpentiers-menuisiers	Montréal	1818, 33-34, 36-58, 60-72
Charpentiers de navire	Québec	1840-41, 1850-67,
Chefs de train	Montréal	1868
Cigariers	Montréal	1865-72, 74-76
Cochers	Montréal	1870-94
Cordonniers	Montréal	1824, 27, 30, 49-50, 54, 67
Cordonniers	Saint-Hyacinthe	1870-73
Cordonniers	Trois-Rivières	1870-73
Cordonniers	Saint-Jean	1870-73
Débardeurs	Québec	1857, 65-66, 79
Ébénistes	Montréal	1824
Ferblantiers et couvreurs	Montréal	1867
Imprimeurs (typographes)	Montréal	1824, 33-36, 67
Imprimeurs (typographes)	Québec	1827-44, 54, 72-93
Laitiers	Montréal	1847
Maçons	Montréal	1867
Marins	Québec	1847
Mécaniciens, machinistes	Montréal	1834, 51, 53
Mécaniciens de locomotive	Montréal	1867
Métallurgistes	Montréal	1866
Mouleurs	Montréal	1851, 59, 61
Orfèvres, graveurs	Montréal	1867
Peintres	Québec	1841
Peintres, tapisseurs	Montréal	1867
Plâtriers	Montréal	1867
Plombiers	Montréal	1875
Pompiers	Montréal	1834
Tailleurs de pierre	Montréal	1837, 44-73
Tailleurs de vêtement	Montréal	1823, 58
Tonneliers	Montréal	1867
Toueurs de bois	Québec	1868, 71, 75
Verriers	Montréal	1879
Verriers	Saint-Jean	1879
Voituriers	Montréal	1867

Sources: B.D. Palmer, *Working-Class Experience*, Toronto, Butterworth, 1983; E. Forsey, *Trade Unions in Canada, 1812-1902*, Toronto, University of Toronto Press, 1982; B. Chiasson et coll., *Histoire du mouvement ouvrier au Québec, 150 ans de luttes*, 2e éd., coédition CSN-CEQ, 1984; J. Rouillard, *Les Syndicats nationaux au Québec de 1900 à 1930*, Québec, Presses de l'Université Laval, 1979.

ment, les mouleurs et mécaniciens, les tailleurs de pierre, les débardeurs et les mécaniciens de locomotive (en fin de période) furent les premiers à s'organiser. Souvent, les syndicats sont créés par des immigrants britanniques qui avaient connu chez eux les premières associations secrètes, les *guilds*, les *benefit societies* et les premières *trade unions*. Dans la grande majorité des cas, ce sont d'abord les ouvriers qualifiés qui se regroupent, particulièrement les ouvriers de la construction; le syndicalisme leur permet de négocier la vente de leur force de travail à de meilleurs prix, compte tenu de la rareté relative des ouvriers qualifiés et du monopole de représentation qu'ils s'efforcent d'instaurer. Paradoxalement, la Ship Laborer's Benevolent Society, qui regroupe des ouvriers semi-qualifiés affectés au chargement du bois équarri dans le port de Québec, est l'une des organisations ouvrières les plus puissantes au XIXe siècle. Mais Montréal demeure le bastion ouvrier de la province, avec au-delà de 75 % des syndicats mis en place pendant cette période. Toutefois, en 1880, il n'y a toujours que 22 syndicats au Québec, lesquels ne regroupent que quelques milliers de membres.

Les premiers regroupements au-delà du métier

Les années 1834 à 1880 sont tout de même le théâtre des premières tentatives de regroupement des travailleurs à l'échelon régional, voire national. De l'Union des métiers de Montréal, en 1834, à la participation au mouvement pour la journée de neuf heures, en 1872, en passant par la Grande Association de 1867, les travailleurs montréalais ont cherché à dépasser le cadre étroit du métier pour s'organiser en tant que classe ouvrière.

L'Union des métiers de Montréal (1834). Cette première organisation régionale de travailleurs au Canada est fondée en 1834 à l'initiative des charpentiers-menuisiers montréalais. L'Union appuie les 92 résolutions des Patriotes. Elle joue un certain rôle dans la bataille pour la journée de 10 heures, reste confinée à la semi-clandestinité et ne connaît pas d'existence durable. Il est bon de noter que, parmi les fondateurs de l'Union des métiers de Montréal, on retrouve la Montreal Mechanics Mutual Protecting Association, dont les membres étaient d'origine britannique.

La Grande Association de Médéric Lanctôt (1867). Embryon d'organisation de classe, l'association se voulait «une ligue ou société de tous les corps de métiers canadiens de Montréal, avec des ramifications plus tard dans toutes les grandes et petites villes du Canada». Fondée en avril 1867 à Montréal par Médéric Lanctôt, avocat, journaliste de 30 ans, la Grande Association rassemble les travailleurs de 26 corps de métiers. Elle prône la collaboration du capital et du travail et le développement des entreprises locales et des coopératives afin de «sauver la nationalité canadienne-française». Elle appuie les grèves, fonde même des magasins coopératifs, mais elle ne dure qu'un an.

La participation au «Nine-Hour Movement». En 1872, les travailleurs montréalais se joignent à leurs camarades de Toronto afin de revendiquer la réduction de la journée de travail de trois heures. James Black dirige le mouvement à Montréal. Le *Nouveau Monde* rapporte que «les ouvriers de Montréal, en assemblée publique, s'étant formés (sic) une association sous le nom de "Ligue ouvrière de Montréal" pour obtenir la réduction à neuf heures affirment unanimement que la question du travail de neuf heures est devenue d'une nécessité urgente».

L'arrivée du syndicalisme international

Aux États-Unis, les travailleurs mettent sur pied des fédérations syndicales professionnelles, unissant les ouvriers d'un même métier mais de villes différentes, afin de limiter la concurrence d'une main-d'œuvre à bon marché. Au fur et à mesure que les échanges économiques s'intensifient entre le Canada et les États-Unis, les travailleurs des deux côtés de la frontière sentent le besoin de se regrouper pour éviter la concurrence et la création d'une zone de main-d'œuvre à bon marché au Canada. Le premier syndicat québécois qui s'affilie à une organisation américaine est l'Association des mouleurs de fonte, créée en 1859, qui adhère à la National Union of Iron Molders (1861). Montréal avait déjà accueilli le premier syndicat britannique à s'être établi au Canada en 1853, la British Amalgamated Society of Engineers.

Les cigariers, les cordonniers, les typographes et les mécaniciens de locomotive s'affilient bientôt à des syndicats internationaux, c'est-à-dire américains. Dans certains cas, ce sont les ouvriers eux-mêmes qui font appel aux organisateurs américains; dans d'autres, ces derniers réussissent à les convaincre du bien-fondé de l'union par-delà les frontières. C'est ainsi que les typographes montréalais, par exemple, se regroupent dans la section locale 145 de l'union internationale, qui prend le nom d'Union typographique Jacques-Cartier, aujourd'hui le plus ancien syndicat au Québec.

Cependant, avant les années 1880, il faut retenir la percée des Chevaliers de Saint-Crépin (St Crispin en anglais) dans l'industrie de la chaussure. Ce syndicat américain, fondé en 1867 à Milwaukee, s'implante à Montréal, Québec, Trois-Rivières et Saint-Hyacinthe. Il déclenche une longue grève de neuf semaines, en 1869, à Québec, qui est brutalement réprimée par l'armée. Les Chevaliers de Saint-Crépin disparaîtront en 1874, en pleine crise économique.

On le constate, chaque association ne vit que quelques mois et bien peu de syndicats survivent à la crise économique de 1873. Pourtant, en créant plus d'une centaine de syndicats et en organisant plus de 80 grèves entre 1840 et 1880, les travailleurs québécois ont cherché à résister au capitalisme industriel et à construire leurs propres organisations de classe, imitant les classes ouvrières des grands pays industriels de l'époque.

La légalisation du syndicalisme

La légalisation des syndicats, vers la fin du siècle, reconnaît l'existence de ce mouvement. Mais c'est une longue grève des typographes de Toronto, en 1872, et l'inculpation de leurs leaders pour «conspiration criminelle» qui poussent le gouvernement fédéral de John A. MacDonald à adopter l'Acte des associations ouvrières, lequel stipule que le fait d'être membre d'une association ouvrière ne peut être considéré comme un crime. Mais en même temps, un amendement au Code criminel impose des peines de prison aux grévistes qui font du «piquetage» (action de dresser des piquets de grève pour informer le public de l'existence d'un conflit) ou d'autres moyens de pression contre un employeur. En 1889, l'Acte visant à prévenir et à supprimer les coalitions formées pour gêner le commerce rend illégales les associations ouvrières à nouveau. En 1900, finalement, le gouvernement fédéral exclut ces dernières du champ de juridiction de la loi, légalisant définitivement les syndicats.

Pendant ce temps, au Québec, les gouvernements ignorent l'existence des syndicats et se contentent d'une odieuse Loi des manufactures (1885), qui fixe la durée de la semaine de travail à 60 heures pour les femmes et les enfants, et à 72 heures pour les hommes. La Commission royale d'enquête sur les relations entre le capital et le travail, instaurée en 1886, permet certes aux ouvriers canadiens d'exprimer leurs frustrations et certaines de leurs revendications, mais il leur faudra attendre le XXe siècle pour que les gouvernements adoptent des lois sur les relations industrielles et les conditions de travail.

CONSOLIDATION ET MONTÉE DES SYNDICATS INTERNATIONAUX (1880-1918)

L'adoption de la «politique nationale» du premier ministre conservateur John A. MacDonald en 1879, c'est-à-dire d'une politique de protection tarifaire pour les industries canadiennes, combinée à la reprise économique aux États-Unis et à la construction du chemin de fer du Canadien Pacifique à partir de 1881 a pour effet de relancer l'économie canadienne. Cette conjoncture a des effets positifs sur la syndicalisation des travailleurs, alors qu'une centaine de nouvelles organisations voient le jour au pays, dont 19 au Québec entre 1880 et 1890. De 1900 à 1919, le nombre de membres des syndicats passe de 12 000 à plus de 80 000, soit 14 % des salariés. Durant la guerre, les effectifs syndicaux font plus que doubler, alors que la récession qui suit entraîne le chômage et la diminution du nombre de syndiqués.

Le Congrès des métiers et du travail du Canada

En septembre 1886, quelques mois avant la création de la Fédération américaine du travail (FAT), les délégués de syndicats ontariens réunis à Toronto créent le Congrès général des métiers et du travail du Canada; en 1892, il prendra le nom de Congrès des métiers et du travail du Canada. À partir de 1889, le Québec envoie une délégation nombreuse et le Congrès devient une véritable centrale canadienne, même si le nombre de membres affiliés demeure faible (seulement 8381 en 1902). Il regroupe rapidement les syndicats nationaux et des syndicats internationaux affiliés aux Chevaliers du travail et à la FAT. Jusqu'en 1894, les Chevaliers du travail présentent une majorité de délégués aux réunions annuelles. Examinons l'évolution de ce mouvement original au Québec.

Les Chevaliers du travail

Le Noble and Holy Order of the Knights of Labor naît en 1869, aux États-Unis. D'abord clandestin, cet organisme devient un mouvement de masse au cours des années 1880, atteignant 700 000 membres en 1886, pour décliner et disparaître en 1893, supplanté par les syndicats de métiers. Au Canada, les Chevaliers organisent plus de 450 assemblées et recrutent plus de 20 000 membres en peu de temps.

Au Québec, les Chevaliers du travail rassemblent des milliers de travailleurs et fondent 64 «loges» ou assemblées locales, entre 1882 et 1902, à Montréal, Québec, Lévis, Hull, Sherbrooke, Saint-Hyacinthe, Trois-Rivières et Saint-Jean. La différence entre les Chevaliers et les syndicats de métiers est qu'ils acceptent dans leurs rangs tous les travailleurs d'une entreprise, d'une industrie ou d'une région, sans distinction des métiers qu'ils exercent: c'est le syndicalisme industriel. De plus, ils veulent réformer la société et ne pas s'en tenir aux strictes revendications salariales; ils réclament la municipalisation des services publics, l'instruction pour tous, l'abolition du travail des enfants, l'impôt progressif, etc.

Dénoncés par le clergé — le cardinal Taschereau de Québec interdit aux catholiques d'être membres de cette «société secrète» — mais soutenus par le journal *La Presse* de Montréal, les Chevaliers sont à l'origine de la fondation du Conseil central des métiers et du travail de Montréal (CCMTM) et du Congrès des métiers et du travail du Canada (CMTC), première véritable centrale syndicale canadienne. Les Chevaliers québécois fourniront deux présidents à la centrale, Urbain Lafontaine (1890) et Patrick Jobin (1894). Leur déclin est cependant inévitable. En effet, les Chevaliers veulent réconcilier le capital et le travail, ils préfèrent l'arbitrage à la grève, ce qui est contradictoire avec la vocation syndicale. De plus, ils ne réussissent pas à faire cohabiter les ouvriers qualifiés et les non qualifiés, les premiers s'estimant injustement traités au sein de l'organisme. Les Chevaliers sont bientôt supplantés par les syndicats de métiers de la toute-puissante Fédération américaine du travail.

Puissance des syndicats internationaux

La Fédération américaine du travail (FAT) naît en 1886 aux États-Unis. Elle regroupe les syndicats de métiers des typographes, des ouvriers de l'imprimerie, du bâtiment, de la métallurgie, des chemins de fer, du bois, du tabac et des brasseries. Avec plus d'un demi-million de membres en 1900, elle exerce une puissante force d'attraction sur les travailleurs canadiens, qui voient les syndicats américains conclure des ententes avantageuses pour leurs membres. Au début, la FAT concentre ses efforts auprès des ouvriers qualifiés, regroupés dans des syndicats de métiers; cette stratégie lui donne une cohésion et une force de frappe sans précédent: quand éclate un conflit, les patrons ne peuvent tout simplement pas remplacer les grévistes par des travailleurs non qualifiés — ils doivent donc céder dans bien des cas.

Comme le font remarquer judicieusement les auteurs de l'*Histoire du mouvement ouvrier au Québec*, tous les moyens d'action du syndicalisme contemporain sont mis en place au cours de cette période: négociation collective, grève, fonds de grève bien nanti, piquetage efficace, boycottage des entreprises qui ne veulent pas reconnaître les syndicats, contrat de travail avec des clauses de plus en plus nombreuses, étiquette syndicale *(union label)* sur les produits fabriqués par les syndiqués, etc. La conquête de l'atelier fermé vient parachever le tout. En effet, cette clause de la convention collective oblige l'employeur à n'engager que des membres du syndicat; les syndicats ouvrent alors des bureaux de placement pour leurs membres afin de contrôler l'offre de travail.

La FAT, dirigée de 1886 à 1924 par le cigarier Samuel Gompers, est une centrale syndicale à laquelle sont affiliées de puissantes fédérations professionnelles, les syndicats internationaux. Ces derniers jouissent de pouvoirs importants, notamment en matière de compétence (la permission de former un syndicat auprès de tel métier) et de grève (droit de veto). Les sections locales s'affilient au syndicat international, au conseil du travail (à l'échelon municipal) et au CMTC. Entre 1898 et 1902, la FAT recrute plus de 700 sections locales au pays, dont la plupart sont affiliées au CMTC. Les représentants des grands syndicats américains prennent rapidement le contrôle de la centrale canadienne, malgré l'existence d'un fort courant nationaliste.

Le syndicalisme américain n'accepte pas le *dual unionism*, c'est-à-dire l'existence de syndicats rivaux dans un même métier. Pour cette raison, au congrès de Berlin (Kitchener, en Ontario), en 1902, le CMTC expulse 23 sections locales de syndicats canadiens, dont 17 québécoises, qui font concurrence aux syndicats américains. Les «loges» des Chevaliers du travail comptent parmi les exclus. Avec la mort de ces derniers, c'est le début d'une longue suprématie des syndicats internationaux au Canada comme au Québec.

Au Québec, les syndicats internationaux représentent rapidement la majorité des syndiqués; à Montréal, les syndicats du bâtiment se séparent du CCMTM, qui accordait une place trop grande aux Chevaliers du travail, et fondent le Conseil des métiers de la construction, qui est à l'origine du Conseil fédéré des métiers et du travail de Montréal (1897). Son président, Joseph Ainey, dirigeant de la Fraternité unie des charpentiers-menuisiers (section locale 134), est l'un des leaders des syndicats internationaux au Québec. En 1891, à l'occasion de la fête du Travail, plus de 15 000 ouvriers défilent dans les rues de Montréal, sous la bannière des syndicats internationaux; ces derniers regroupent plus de 50 000 membres au Québec à la fin de la Première Guerre mondiale. L'une des figures dominantes du mouvement est le typographe Gustave Francq, qui sera vice-président du CMTC, président du Comité exécutif provincial de la centrale, secrétaire du Conseil des métiers et du travail de Montréal (CMTM), leader du Parti ouvrier et fondateur du journal *Le Monde ouvrier*, hebdomadaire bilingue qui deviendra l'organe officiel des syndicats internationaux (et qui est aujourd'hui le journal de la FTQ).

L'idéologie des syndicats internationaux est axée sur l'accroissement du pouvoir d'achat des travailleurs, la valorisation de la qualification professionnelle de leurs membres et du rôle de l'ouvrier dans la société, la communauté d'intérêt à long terme entre les travailleurs et les capitalistes, sans pour autant exclure le recours à la grève, au boycott et à la législation pour obtenir des gains au détriment des patrons. *«More, more, more»*, disait Samuel Gompers, indiquant par là que les travailleurs devaient se méfier du socialisme et revendiquer plutôt des augmentations de salaires et des avantages matériels à l'intérieur de la société capitaliste. Cependant, tout au long du XXe siècle, les syndicats internationaux adapteront leur discours et leur pratique aux réalités changeantes du capitalisme, et plusieurs se radicaliseront, sous la pression, il est vrai, des syndicats concurrents.

Survivance des syndicats nationaux

Plusieurs syndicats nationaux et les dernières «loges» des Chevaliers du travail, exclus du CMTC en 1902, s'unissent pour former le Congrès national des métiers et du travail du Canada (CNMTC), qui prend le nom en 1908 de Fédération canadienne du travail (FCT). On cherche ainsi à jeter les bases d'un syndicalisme canadien indépendant de la FAT et de son pendant canadien, le CMTC. La plupart de ses adhérents, travailleurs de la chaussure et du bâtiment de Montréal et de Québec, sont des Canadiens français: 8770 membres, contre 1415 pour l'Ontario en 1904. Dès 1906, la Fédération regroupe près de 20 000 adhérents. Mais cette nouvelle centrale fait long feu au Québec: après 1911, elle perd ses membres montréalais aux mains des syndicats internationaux et ne recrute plus qu'au Canada anglais; en 1915, la FCT ne compte plus que 63 syndicats et 7000 membres.

Néanmoins, au cours de cette période, plusieurs fédérations de syndicats nationaux verront le jour: la Fédération des ouvriers du textile du Canada, qui recrute 7000 tisserands et soutient une quinzaine de grèves de 1906 à 1908, avant d'être brisée par Dominion Textile et de voir ses membres passer aux Ouvriers unis du textile d'Amérique (OUTA) de la FAT; la Fédération canadienne des briqueteurs, maçons et plâtriers; la Fraternité des employés de chemin de fer, fondée en 1909, etc. Ainsi, dans l'ensemble, il faut convenir du peu de succès des syndicats nationaux non confessionnels au Québec.

Le clergé québécois, craignant alors la rapide expansion du syndicalisme international athée et militant auprès des travailleurs québécois, entreprend de soustraire les ouvriers du Québec à l'influence «pernicieuse» du syndicalisme non confessionnel grâce à un travail systématique de propagande en faveur de la doctrine sociale de l'Église, entamé depuis 1911 par l'École sociale populaire des Jésuites, à Montréal; de ce fait, il intervient dans les conflits de travail. La célèbre sentence arbitrale de Mgr Bégin, archevêque de Québec, rendue en 1901 dans un conflit de la chaussure à Québec, aboutit à la reconnaissance patronale d'un syndicat conforme à la doctrine sociale de l'Église et à l'obligation d'accepter un aumônier catholique à sa direction. Mais c'est en 1907 que le clergé jette les bases du premier syndicat catholique parmi les travailleurs de la Compagnie de pulpe de Chicoutimi. De semblables tentatives sont couronnées de succès en 1912 à Hull, chez les papetiers, en 1913 à Trois-Rivières et en 1914 à Montréal. Tant et si bien qu'en 1916 le premier regroupement régional de syndicats catholiques, la Fédération ouvrière mutuelle du Nord (FOMN), créée en 1912, regroupe 3000 travailleurs au Saguenay et au Lac-Saint-Jean.

Ces syndicats ne déclenchent jamais de grève: elle est contraire à la doctrine sociale de l'Église, qui prêche l'harmonie entre le capital et le travail. On s'entend à l'amiable avec le patron, c'est-à-dire, bien souvent, avec une paroisse ou un établissement religieux qui embauche les membres des syndicats catholiques. Mais les travailleurs préfèrent la formule des syndicats internationaux, les fonds de grève, les assurances, les organisateurs aguerris et le soutien de tout un mouvement ouvrier, toutes confessions confondues. Après un départ rapide, les effectifs des cinq fédérations catholiques régressent pendant la guerre, malgré la mise en place de conseils centraux à Québec, à Montréal, à Sherbrooke et à Saint-Hyacinthe. Le clergé tire les leçons de cette période difficile et se prépare à créer un regroupement national des syndicats catholiques.

La Première Guerre mondiale et l'action politique ouvrière

Le début du XXe siècle est souvent considéré comme l'âge d'or de l'action politique ouvrière. Au cours de cette période, les travailleurs font preuve d'une conscience de classe qui, cherchant à dépasser les limites de l'action syndicale de type économique, se propose d'envahir la scène politique et d'y faire triompher les revendications ouvrières. L'idée d'un parti ouvrier fait ainsi son chemin dans certains clubs ouvriers fondés vers 1890 qui servent de lieu de discussion des problèmes des travailleurs (on en retrouve dans plusieurs quartiers de Montréal, notamment dans Sainte-Marie, Saint-Jacques et Montréal-Centre).

Le Parti ouvrier, créé en 1899 à l'initiative de militants du CMTM, présente des candidats aux élections fédérales, provinciales et municipales. Pour un Fridolin Roberge, président du CMTM, qui mord la poussière face au libéral Israël Tarte, en 1900, on note la victoire d'un Alphonse Verville, président du CMTC, en février 1906, à l'élection fédérale complémentaire de Maisonneuve, à Montréal. S'inspirant du modèle travailliste britannique, le Parti présente les revendications des syndicats: assurance-maladie, éducation gratuite et obligatoire et création d'un ministère de l'Instruction publique, suffrage universel, prohibition du travail des enfants de moins de 14 ans, nationalisation des monopoles dans les services publics, journée de travail de huit heures (notamment par la fermeture des magasins de bonne heure...), etc. Sur la scène municipale, Joseph Ainey est élu contrôleur de la ville de Montréal (1910), et les ouvriers font élire plusieurs échevins. Ailleurs en province, des clubs ouvriers s'implantent dans les villes industrielles, attestant de l'émergence d'une conscience de classe. Un petit parti socialiste est même créé en 1906. Par contre, à l'exception de quelques victoires isolées, le mouvement ouvrier compte des dizaines de défaites amères sur la scène politique, qui l'amèneront au cours des périodes suivantes à se cantonner dans des revendications purement économiques.

La Première Guerre mondiale force cependant le mouvement syndical à prendre position. De 1911 à 1915, le CMTC adopte une attitude pacifiste, puis il appuie l'effort de guerre du Canada tout en demeurant opposé à toute forme de conscription. Lorsque le gouvernement tente de dresser un inventaire de la main-d'œuvre canadienne, le CMTC donne son accord, ce qui soulève la colère du CMTM, qui proteste vigoureusement. La Fédération des clubs ouvriers municipaux de Montréal organise des assemblées de protestation en janvier et en mars 1917; le CMTM et le Conseil central national de Québec s'élèvent contre la conscription, décrétée en mai 1917. Mais après l'entrée en guerre des États-Unis, la FAT et les syndicats internationaux appuient l'effort de guerre et sabotent toute tentative du mouvement ouvrier canadien pour s'y opposer. Le CMTC renonce à la grève générale. Il faudra attendre la Deuxième Guerre mondiale pour assister à la politisation du mouvement syndical canadien et québécois.

NOUVEAU CAPITALISME ET RÉSISTANCES (1919-1939)

Taylorisme, prospérité et crise

Au début du siècle, le Québec connaît une «deuxième révolution industrielle» et de nouvelles industries apparaissent, liées à l'exploitation des ressources naturelles: les pâtes et papier, l'aluminium, les appareils électriques, la chimie, l'exploitation de minerais tels que l'amiante, l'or et le cuivre. L'essor de l'automobile, l'expansion du réseau ferroviaire, les débuts de l'aviation commerciale accompagnent cette révolution. Le capital américain supplante le capital britannique partout au Canada, et le Québec accroît sa dépendance envers l'économie américaine. Le capitalisme se transforme, la concurrence fait place aux monopoles et aux sociétés par action: Dominion Textile, International Paper, Alcan, Canada Cement, Molson, Canadian Industries Limited dominent leurs secteurs respectifs.

La gestion des entreprises se «modernise», employant les méthodes américaines les plus récentes. Ainsi, la chaîne de montage se développe, entraînant la parcellisation du travail, le découpage des tâches et le recours à une main-d'œuvre non qualifiée au détriment des ouvriers de métiers qualifiés. C'est le fordisme, inspiré d'Henry Ford et de sa chaîne de montage du célèbre modèle «T»; le taylorisme, du nom de l'ingénieur américain Frederick Winslow Taylor, introduit le chronométrage et le contrôle accru des tâches. Son objectif: briser le contrôle ouvrier sur la production et augmenter la productivité. Le disciple de Taylor, Henry L. Gantt, réorganise la production aux ateliers Angus du Canadien Pacifique à Montréal, en 1909. La gestion de l'entreprise fait alors appel à la psychologie et aux relations humaines afin de gagner les travailleurs aux objectifs de rentabilité de l'entreprise, tandis que l'État, sous l'impulsion de William Lyon Mackenzie King, intervient dans les conflits, crée un ministère du Travail et légifère pour réglementer les relations patronales-ouvrières. Ce que d'aucuns qualifieront de *welfare capitalism*, un système de relations de travail paternalistes où les comités paritaires, regroupant patrons et employés autour d'une table de concertation, n'accorderont aucun pouvoir aux ouvriers.

Parallèlement, le patronat fait campagne contre l'implantation des syndicats dans les entreprises, procède à la mise à pied des organisateurs syndicaux et refuse de négocier avec les représentants des travailleurs. C'est la campagne de l'*open shop*, aux États-Unis, ou de l'atelier ouvert, par opposition à la revendication syndicale de l'atelier fermé selon laquelle l'appartenance à un syndicat constitue un préalable à l'embauchage d'un travailleur et au maintien de son emploi. Combinées à la récession de 1921, ces tactiques ont pour effet de réduire considérablement les effectifs syndicaux: au Canada, de 1921 à 1926, ils passent de 313 000 à 275 000 membres, tandis qu'au Québec ils passent de 44 000 à 41 000[1].

Même si les années 20 sont marquées par une forte croissance économique et une augmentation du pouvoir d'achat de la population, le revenu moyen des travailleurs adultes se situe encore, en 1930, au-dessous du minimum nécessaire pour subvenir aux besoins d'une famille moyenne de cinq enfants. La crise économique qui éclate en 1929 remet en question le «nouveau capitalisme». Il faudra attendre 1939 pour que le Québec retrouve les niveaux de production de 1929. La production manufacturière chute de 45 % entre 1929 et 1933, la main-d'œuvre diminue de 24 % et les salaires, de plus de 40 %. Toutes les organisations syndicales sont durement touchées par la perte de milliers de membres, alors que le taux de chômage dépasse les 25 % à Montréal.

Le nouveau syndicalisme industriel

La réponse des travailleurs à la campagne de l'*open shop*, ici comme aux États-Unis, consiste à réorganiser les syndicats afin de tenir compte des bouleversements du capitalisme. Les syndicats de métiers, efficaces dans le bâtiment, deviennent inadéquats dans la grande industrie de production de masse, qui emploie des milliers de travailleurs non qualifiés. L'arrivée sur le marché du travail des femmes et des immigrants force le changement. Entre 1900 et 1929, la proportion de femmes occupant un emploi salarié passe de 15 % à 20 % de la main-d'œuvre au Québec. Le quart des travailleuses se retrouvent dans des manufactures, dans le textile et le vêtement, la chaussure et le tabac, lesquels ne requièrent pas de qualification poussée. Au cours de cette période, Montréal devient une ville cosmopolite; beaucoup de travailleurs juifs, dans l'industrie du vêtement, sont qualifiés; on ne peut en dire autant de la main-d'œuvre italienne, qui se retrouve surtout dans la construction. Ces travailleurs seront intégrés dans les syndicats internationaux, où l'on verra cohabiter Canadiens français et Canadiens anglais avec des immigrants négligés par les syndicats catholiques.

Le syndicalisme industriel consiste alors à regrouper les travailleurs dans le cadre d'une industrie, indépendamment des métiers ou des professions auxquels ils appartiennent. On voit émerger ce type de syndicalisme dans les secteurs du textile et du vêtement, de la métallurgie, des appareils électriques et dans l'industrie légère. Cette nouvelle forme d'organisation syndicale effraie les tenants du syndicalisme de métier, qui craignent de perdre leurs privilèges. Tout cela sera à l'origine de la scission qui divisera la FAT en deux grandes centrales syndicales rivales à la fin des années 30, la FAT et le Congrès pour l'organisation industrielle (COI)

Les syndicats internationaux: de l'hégémonie au schisme

Au lendemain de la Première Guerre mondiale, le syndicalisme international est fort de 50 000 membres au Québec. Son bastion, Montréal, est la plaque tournante de l'industrie manufacturière et des communications au pays. Le puissant CMTM est, *de facto*, le porte-parole des ouvriers montréalais et des syndicats internationaux pour l'ensemble de la province. Il appuie les grèves de ses membres, dont les plus célèbres sont celle des typographes — qui se déroule à l'échelle de l'Amérique du Nord — pour la semaine de 44 heures en 1920 et 1921, et celles de l'Union internationale des ouvriers du vêtement pour dames (UIOVD), des travailleurs des pâtes et papier et des syndicats de métiers de la construction, en 1925. De fait, les syndicats internationaux dominent dans les chemins de fer, les métiers de la construction, l'imprimerie, le port de Montréal, le vêtement, la métallurgie, les transports, les ouvriers qualifiés de l'industrie manufacturière et ils font une percée dans le nouveau secteur des pâtes et papier. Plus des trois quarts de leurs membres sont canadiens-français.

Avec la crise, ils perdent des milliers de membres, mais réussissent à maintenir leurs positions dans les secteurs que nous venons d'énumérer. En 1937, ils regroupent plus de 70 000 adhérents. C'est alors qu'est fondée la Fédération provinciale du travail du Québec (FPTQ), section provinciale du CMTC. La FPTQ prend le relais du «comité exécutif» provincial, désigné par le CMTC depuis 1892 et qui représentait les affiliés auprès du gouvernement du Québec. Mais l'adhésion des syndicats à la FPTQ est facultative et plusieurs syndicats préfèrent concentrer leurs énergies au niveau du métier, de l'industrie ou de la municipalité, de sorte que l'organisme provincial ne sera jamais une force importante, du moins pas avant la création de la Fédération des travailleurs du Québec (FTQ) qui lui succédera en 1957. De fait, tout au long de cette période, le CMTM domine le mouvement des syndicats internationaux. D'ailleurs, le président du Conseil, Raoul Trépanier, sera élu premier président de la FPTQ.

La création de la FPTQ, en 1937, coïncide avec la grande campagne «pour le maintien de la liberté des syndicats internationaux dans cette province», orchestrée pour faire échec aux syndicats catholiques. Elle suit également de peu la grande grève de 25 jours des midinettes, à Montréal, où 5000 ouvrières de la robe affrontent le patronat, l'épiscopat et le gouvernement Duplessis pour la reconnaissance syndicale et une hausse salariale de 10 %. La victoire des ouvrières est la consécration du travail militant des organisatrices Rose Pesotta et Léa Roback, des organisateurs Raoul Trépanier, Bernard Shane et Claude Jodoin. Par ces actions, l'UIOVD et le CMTM se démarquent ainsi des syndicats catholiques (qui avaient créé un syndicat rival en pleine grève) et de leur dirigeant, Alfred Charpentier, qui avait réclamé l'extradition des organisateurs «communistes» de l'UIOVD.

Si l'UIOVD, qui est un grand syndicat industriel, trouve sa place aux côtés des grands syndicats de métiers de la FAT, il en va autrement dans plusieurs autres secteurs. Aux États-Unis, les promoteurs du syndicalisme industriel se heurtent au conservatisme des dirigeants de la FAT. Le Committee of Industrial Organization, dirigé par le chef des mineurs, John Lewis, rallie une douzaine de grands syndicats qui font bientôt sécession d'avec la FAT et créent (1938) le Congrès pour l'organisation industrielle (COI). Au Canada, des syndicats du COI s'implantent dans les secteurs de la confection, de l'automobile, de la métallurgie, du textile et des mines. En septembre 1938 est fondé le Comité canadien du COI; sous la pression de la FAT, le CMTC est contraint de l'expulser de ses rangs. En septembre 1940, les syndicats du COI fondent une nouvelle centrale, le Congrès canadien du travail (CCT), qui regroupe également les syndicats nationaux de l'ex-Congrès pancanadien du travail.

Au Québec, le COI tarde cependant à s'implanter. D'une part, l'industrie automobile, son fer de lance en Ontario, est inexistante ici; d'autre part, le CMTM réussit à conserver dans ses rangs plusieurs de ses syndicats industriels ou semi-industriels en adoptant une politique autonomiste face à la FAT. Des syndicats tels la Fraternité des wagonniers, les machinistes, l'UIOVD, certaines sections locales de charpentiers-menuisiers, les employés d'hôtel et de restaurant pratiquent un syndicalisme industriel et le CMTM les conserve dans ses rangs. En fin de compte, il n'y a que 18 syndicats locaux du COI au Québec en 1940, la plupart affiliés aux Travailleurs amalgamés du vêtement d'Amérique. Le COI ne prendra son véritable envol au Québec que pendant la Deuxième Guerre mondiale.

Le syndicalisme catholique: nationalisme et corporatisme

Après l'échec des premières tentatives d'implantation du syndicalisme catholique, le clergé revient à la charge au cours de la Première Guerre. Il choisit d'orienter son action vers les ouvriers déjà regroupés dans des syndicats nationaux, tels les cordonniers, les briqueteurs et les ouvriers du textile, afin de bénéficier ainsi de l'apport de syndicalistes expérimentés; ces derniers sont encadrés par des membres du clergé dans des cercles d'étude. L'abbé Maxime Fortin, de Québec, fonde plusieurs de ces cercles, de même que le père Hudon, de Montréal. Ce travail d'éducation aux principes de la doctrine sociale de l'Église est poursuivi par le père Joseph-Papin Archambault, fondateur de l'École sociale populaire à Montréal, en 1911. Conférences, brochures, retraites fermées, cercles d'étude, collectes de fonds par les églises témoignent d'une intense activité de propagande de la part des intellectuels cléricaux catholiques en faveur de l'implantation d'un syndicalisme catholique ouvertement opposé au syndicalisme international non confessionnel. En plus de cette panoplie impressionnante de moyens, l'épiscopat québécois recommande «que les contrats des corporations (écoles, collèges, couvents, maisons religieuses, églises) incluent une clause de préférence absolue en faveur des ouvriers syndiqués catholiques».

Une série de rencontres préparatoires, de 1918 à 1921, conduisent à la convocation d'un congrès de fondation de la Confédération des travailleurs catholiques du Canada (CTCC) à Hull, en 1921; là, 220 délégués représentant 80 syndicats, 4 conseils centraux (Hull, Montréal, Québec, Granby), 8 cercles d'étude et 17 000 adhérents dans 21 villes du Québec jettent les bases d'une centrale syndicale nationale et catholique. S'inspirant des constitutions de la FAT et de la Confédération française des travailleurs chrétiens, fondée en 1919, Alfred Charpentier, briqueteur et membre de l'École sociale populaire dès 1911, rédige les statuts de la CTCC. Toutefois, à la différence de la centrale française, la CTCC se proclame officiellement catholique; les non-catholiques pourront devenir membres adjoints, mais sans exercer de droit de vote, et des sections spéciales leur seront consacrées si leur nombre le justifie.

Les bases idéologiques du syndicalisme catholique sont le nationalisme pancanadien, à la manière d'Henri Bourassa, et la doctrine sociale de l'Église, à laquelle viendra se greffer le corporatisme social. La CTCC, à l'origine, n'exclut nullement les travailleurs des autres provinces ni les anglophones; en pratique, elle reste cependant confinée au Québec et, au cours des années 1920 à 1940, elle recrute essentiellement des catholiques et rejette la «doctrine pernicieuse de la lutte des classes». L'abbé Fortin réussit même à imposer ses vues concernant la mise sur pied d'un fonds de grève: la CTCC, dit-il, n'est pas une machine de guerre mais une machine de paix, et «notre fonds de grève à nous, c'est le prêtre»! Les syndicalistes, tel Alfred Charpentier, s'opposent à cet idéalisme: se priver d'un fonds de grève, c'est renoncer à la grève elle-même. De plus, les aumôniers jouent un rôle majeur à la direction des syndicats et de la centrale, y exerçant un droit de veto sur des questions aussi importantes que les dépenses et le vote sur la grève; finalement, cette situation provoque une scission dans la centrale en 1936, alors que sept syndicats de la construction de Québec quittent le conseil central pour manifester leur désaccord au sujet du contrôle des fonds par l'aumônier. Toutefois, vers la fin des années 30, l'aumônier se cantonne de plus en plus dans un rôle de conseiller.

L'idéologie corporatiste — c'est-à-dire la recherche de la paix sociale au moyen d'une harmonieuse concertation de tous les groupes sociaux réunis dans toutes les corporations ou corps intermédiaires — est véhiculée au Québec par le courant nationaliste traditionaliste et demeurera longtemps présente dans les hautes sphères de la CTCC. Conformément à cette idéologie, patrons et ouvriers d'un même métier ou d'une même industrie doivent faire front commun, au nom des intérêts supérieurs de la nation, et éviter les conflits de travail; cela présume que ces deux groupes n'ont pas d'intérêts contradictoires et qu'ils doivent s'unir au sein de la «corporation» du textile, de la chaussure, etc., pour faire valoir leur point de vue. L'application de cette idéologie a conduit aux pires excès (voir le Portugal de Salazar ou l'Italie de Mussolini, qui ont éliminé des syndicats et emprisonné des syndicalistes). Au Québec, excepté quelques brèves expériences sur le terrain municipal, l'idéologie corporatiste n'a pas été appliquée. De plus, comme l'a montré l'historien Jacques Rouillard, il existe un divorce entre l'idéologie officielle de la centrale catholique et les pratiques syndicales de la base. Contrairement à ce que l'on a répété, la CTCC a recours à la grève: sur 242 grèves recensées entre 1920 et 1930, 32 sont conduites par des syndicats catholiques, soit une proportion de 13,2 %, alors que la CTCC représente environ 27 % des syndiqués de la province. Si l'on considère que les syndicats catholiques sont récents, encore inexpérimentés et qu'ils regroupent fréquemment des travailleurs peu qualifiés, qui ne peuvent imposer leurs conditions aux patrons aussi facilement que les syndicats de métiers il est aisé de relativiser le manque de combativité de la jeune centrale.

Dans les années 1936 à 1940, la CTCC passe de 33 170 à 46 340 membres. Sous la direction d'Alfred

Charpentier (1936-1946), elle recrute de nouveaux travailleurs dans la construction, l'imprimerie et la chaussure; de plus, dans les secteurs du textile, du bois-papier et de la métallurgie, la centrale se révèle aussi efficace que les syndicats industriels du COI et de la FAT dans l'organisation des travailleurs non qualifiés. En somme, à l'orée de la guerre, la centrale est devenue une composante importante, quoique minoritaire, du mouvement syndical québécois.

Une centrale syndicale rouge: la Ligue d'unité ouvrière

En 1929, le Parti communiste canadien fonde la Ligue d'unité ouvrière (LUO), une centrale syndicale communiste dont l'objectif est de recruter les travailleurs non qualifiés de la grande entreprise, les laissés-pour-compte du syndicalisme de métier, et de chercher à radicaliser le combat des travailleurs contre le système capitaliste. La LUO adhère à l'Internationale syndicale rouge, laquelle a pignon sur rue à Moscou, envoie ses organisateurs, tels Jeanne Corbin (mineurs et bûcherons), Fred Rose (textile) et Sidney Sarkin (confection), sur le front des luttes dures, en pleine crise économique. En 1934, par exemple, ils animent la grève des «fros» (*foreigners*, étrangers, terme qui désigne les travailleurs immigrants) dans les mines de cuivre de la Noranda, en Abitibi.

Puis, en 1935, les communistes dissolvent la LUO: en raison de la montée du fascisme dans le monde, l'Internationale communiste lance le mot d'ordre pour la construction des fronts unis ralliant toutes les tendances de travailleurs et pour la réintégration des grandes centrales syndicales. Les militants rejoignent donc les syndicats de métiers de la FAT ou les syndicats industriels du COI; ils participent ainsi activement à la grève des midinettes à Montréal, en 1937, avant d'être expulsés de l'Union internationale des ouvriers du vêtement pour dames.

Au cours de cette période, le gouvernement de Maurice Duplessis s'en prend aux communistes par le biais de la célèbre «loi du cadenas», laquelle interdit toute propagande communiste sous peine d'emprisonnement. De fait, l'ensemble du mouvement ouvrier se sent visé par cette loi, qui sera déclarée inconstitutionnelle 20 ans plus tard. *Le Monde ouvrier* et les syndicats internationaux la dénoncent, tandis que les syndicats catholiques l'approuvent. Cependant, tout cela ne saurait occulter le fait que les communistes demeurent marginaux au sein du mouvement syndical.

Les débuts du syndicalisme enseignant

Au XIXe siècle des associations professionnelles ont été fondées, dont la puissante Provincial Association of Protestant Teachers, à Montréal (1864), mais c'est après la Première Guerre mondiale que l'on assiste aux premières tentatives de mise sur pied des syndicats d'enseignants. Les enseignants laïcs francophones sont parmi les plus mal payés au Canada, et les femmes, qui représentent 85 % du corps enseignant, ne reçoivent que la moitié du salaire — dérisoire — des hommes. En octobre 1919, 380 enseignants fondent l'Association du bien-être des instituteurs et institutrices de Montréal, qui réclame la reconnaissance syndicale, une échelle salariale, le droit de grief et une certaine forme de sécurité d'emploi. Au grand dam de l'archevêque de Montréal, Mgr Bruchési, elle reçoit le soutien du CMTM, qui regroupe les syndicats internationaux. Mais la Commission des écoles catholiques de Montréal (CECM) refuse de négocier avec l'Association et met sur pied un syndicat de boutique, l'Alliance des professeurs catholiques de Montréal, qui contribue à la disparition de l'Association.

Il faut ensuite attendre le milieu des années 30 pour assister à l'émergence d'un véritable syndicalisme chez les enseignants. Laure Gaudreault fonde le premier syndicat d'institutrices rurales à Clermont, dans Charlevoix (1936). Elle devient rapidement présidente d'une fédération catholique des institutrices rurales (1937); se forment ensuite la Fédération des instituteurs ruraux (1939), puis la Fédération des instituteurs et institutrices des cités et villes (1942), présidée par Léo Guindon, leader de l'Alliance des professeurs de Montréal; celle-ci est devenue au milieu des années 30 un véritable syndicat. Ces trois fédérations fusionnent en 1945 pour former la Corporation des instituteurs et institutrices catholiques du Québec (CIC), dont le président est Léo Guindon et la vice-présidente, Laure Gaudreault. La CIC se définit donc comme un syndicat catholique, imbu de la doctrine sociale de l'Église et préconisant le corporatisme comme mode d'organisation de la société. À la fois syndicat et corporation professionnelle, elle compte des directeurs d'école et des cadres scolaires parmi ses 10 000 membres.

Que devient l'action politique ouvrière?

Avant 1927, l'action politique ouvrière semble aller de soi chez les syndicats internationaux. Mais le mouvement ouvrier éclate en de multiples tendances au cours des années 20. Le Parti communiste, le Parti socialiste canadien, le Parti ouvrier et même le Parti libéral prétendent représenter les intérêts des travailleurs. Tant de sollicitude peut parfois placer les syndicats dans une position inconfortable: le CMTM se retire du Parti ouvrier en 1927, lorsqu'il devient évident que les communistes le dirigent.

La création de la Cooperative Commonwealth Federation (CCF), en 1932, soulève peu d'enthousiasme au Québec. Il faut attendre les années 40 et 50 pour qu'émerge une tendance social-démocrate organisée dans le mouvement syndical québécois. Le débat sur l'action politique ouvrière refait alors surface dans les syndicats à la fin des années 30. Le CMTC rejette la proposition de création d'un parti ouvrier à son congrès de 1937. L'action politique est nommément exclue des constitutions de la FPTQ et du CMTM en 1939; dans ce dernier cas, une faible majorité de délégués refusent de rebâtir le Parti ouvrier.

En 1938, 200 militants représentant 56 syndicats affiliés au CMTM créent le Comité d'action démocratique (CAD), dirigé par Raoul Trépanier, Claude Jodoin (alors organisateur des Jeunesses libérales) et Paul Fournier. Le CAD défend un «programme d'action politique de nature à protéger les libertés civiles et syndicales, le droit d'organisation et autres droits auxquels tiennent les ouvriers». Il représente une tentative originale d'action politique non partisane, qui suscitera la candidature de Raoul Trépanier à la mairie de Montréal (1940). À bien des égards, le CAD est le précurseur des mouvements d'action politique des années 60 et 70 à Montréal.

En bref

Les années 1919 à 1939 sont donc marquées par l'émergence d'un nouveau capitalisme et par la crise économique qui en découle. Le mouvement syndical offre deux répliques à l'imposition d'un nouveau modèle de relations de travail: l'une, militante et anticapitaliste, le syndicalisme industriel, qui revitalise les syndicats internationaux; l'autre, nationaliste et corporatiste, qui propage la doctrine sociale de l'Église et jette les bases du syndicalisme catholique (CTCC, CIC et même l'Union catholique des cultivateurs). La première réplique combat l'intervention grandissante de l'État dans les relations de travail tout en cherchant à intervenir sur la scène politique pour faire entendre les revendications ouvrières. La seconde réclame l'intervention de l'État, même si elle se traduit effectivement par un contrôle sur les organisations syndicales: la CTCC appuie la «loi du cadenas» et elle est à l'origine de la loi sur l'extension juridique des conventions collectives de travail (1934), qui permet d'étendre à tout un secteur d'activité les dispositions d'une convention collective de travail.

INSTITUTIONNALISATION ET «GUERRE FROIDE» (1940-1957)

La Deuxième Guerre mondiale et ses séquelles, dont la «guerre froide» entre le bloc capitaliste et le bloc communiste, dominent les années 1940 à 1957. Sur le plan intérieur, on adopte des lois qui encadrent la reconnaissance syndicale, le droit de grève et les pratiques syndicales en général; au Québec, la Loi des relations ouvrières de 1944 est considérée comme le premier code du travail (voir l'annexe 2). Enfin, le syndicalisme sort de l'ombre et devient une force sociale majeure: les femmes adhèrent plus que jamais aux syndicats, les syndicats catholiques montrent les dents et accèdent au statut de véritable centrale syndicale, tandis que les syndicats internationaux se regroupent et fondent la FTQ en 1957.

Au cours de la guerre, la condition ouvrière s'améliore sensiblement grâce à l'action des syndicats et en raison de la conjoncture qui pousse gouvernements et entreprises à s'entendre avec ces derniers. L'assurance-chômage, en 1940, est une conquête ouvrière majeure, bien que le régime ne s'étende pas encore aux travailleurs des services publics. Dans l'industrie manufacturière, la semaine de travail passe de 48 à 44 heures, et des groupes de travailleurs qualifiés obtiennent la semaine de 40 heures. Les heures supplémentaires sont mieux payées, les salaires augmentent, le régime de vacances annuelles payées se généralise (une semaine, seulement, puis deux dans certaines industries) et l'instauration des allocations familiales procure un supplément de revenu appréciable aux familles ouvrières.

Les années 50 affichent donc une prospérité sans précédent qui ne saurait toutefois masquer la persistance de profondes inégalités sociales. La syndicalisation s'étend: en 1945, près de 200 000 travailleurs sont syndiqués, soit 20 % de la main-d'œuvre salariée. Après la guerre, cette croissance se poursuit: la formule Rand (du nom du juge Ivan Rand), qui est une forme de sécurité syndicale, est obtenue à la suite d'une grève victorieuse du syndicat de l'automobile à Windsor, en Ontario; elle impose la cotisation syndicale à la source, contribuant à stabiliser les organisations syndicales. En 1960, 375 000 travailleurs adhèrent à un syndicat au Québec, soit 30 % des salariés; les trois quarts des syndiqués appartiennent à des syndicats internationaux. Tout au long de cette période, les syndicats sont aux prises avec le gouvernement de Maurice Duplessis, dont l'approche paternaliste en matière de relations de travail est à l'opposé de la démocratie industrielle que les syndicats internationaux cherchent à implanter.

Le syndicalisme international: du schisme à l'unité

Dès la fin des années 30, la division caractérise le syndicalisme international. La FPTQ et le CMTM encadrent les syndicats affiliés à la FAT et au CMTC, tandis que le nouveau Conseil du travail de Montréal (CTM), fondé en 1940, et la Fédération des unions industrielles du Québec (FUIQ), à partir de 1952, regroupent les syndicats affiliés au COI et au CCT. Au cours de la guerre, les deux organisations rivalisent d'ardeur — entre elles et avec la CTCC — pour syndiquer les travailleurs de la grande industrie. Des milliers de nouveaux syndiqués, notamment des femmes, se joignent ainsi au mouvement dans les secteurs de l'alimentation, des mines, des industries de l'armement, des industries chimiques, dans les services publics, le tabac, les pâtes et papier et la métallurgie.

La majorité de ces nouveaux syndiqués adhèrent au CMTM, fer de lance du mouvement, qui rassemble environ 80 000 membres montréalais au cours des années 50, dans les grands syndicats industriels du vêtement, de la métallurgie, de l'avionnerie, du textile, de l'alimentation et des chemins de fer, et dans les syndicats de métiers de la construction et dans les services publics. La FPTQ, ancêtre de la FTQ, ne rassemble que 30 000 membres, chaque syndicat local étant libre d'y adhérer; cependant, elle s'affirme progressivement au cours des années 50 sous la direction de Marcel Francq puis de Roger Provost, en passant d'un conservatisme certain à une radicalisation qui culmine avec la grève de Murdochville, en 1957.

De leur côté, les principaux syndicats internationaux affiliés au CCT sont la Fraternité canadienne des employés de chemin de fer et les grands syndicats industriels comme les Métallos unis d'Amérique, les travailleurs des salaisons, du caoutchouc, des brasseries, du bois, de la chimie, des raffineries du pétrole et de l'électricité. Ils se regroupent à la FUIQ, en 1952, sous le leadership de Romuald Lamoureux, des Métallos. Mais les effectifs ne dépassent pas les 30 000 membres. Le CCT et la FUIQ font de la CCF leur «bras politique», et le *Manifeste au peuple du Québec*, produit par la FUIQ en 1955, aspire à concilier la démocratie avec le socialisme dans un Québec dominé par le duplessisme.

Mais l'union de ces deux tendances du syndicalisme international se réalise vers la fin des années 50. Déjà, aux États-Unis, la FAT et le COI s'étaient unis depuis 1955 dans la FAT-COI. Au Canada, le CMTC et le CCT concluent une entente en 1956 et le nouveau CTC rassemble pas moins de 1 350 000 syndiqués canadiens, sous la houlette de Claude Jodoin. Une autre militante québécoise, Huguette Plamondon, du syndicat des salaisons, est élue vice-présidente du CTC, devenant ainsi la première femme à occuper des fonctions aussi élevées dans le mouvement syndical canadien. Enfin, c'est en 1957 que la FUIQ et la FPTQ s'unissent pour donner le jour à la FTQ, que dirigera Roger Provost de 1957 à 1964. Dorénavant, les syndicats internationaux parlent d'une seule voix. Signalons, par ailleurs, qu'il est question aussi, pendant un certain temps, d'unification avec les syndicats catholiques, mais les divergences organisationnelles et idéologiques constituent un obstacle à l'unité complète du mouvement syndical canadien et québécois.

FIGURE 1.1

Le syndicalisme international: fusions et liens organiques

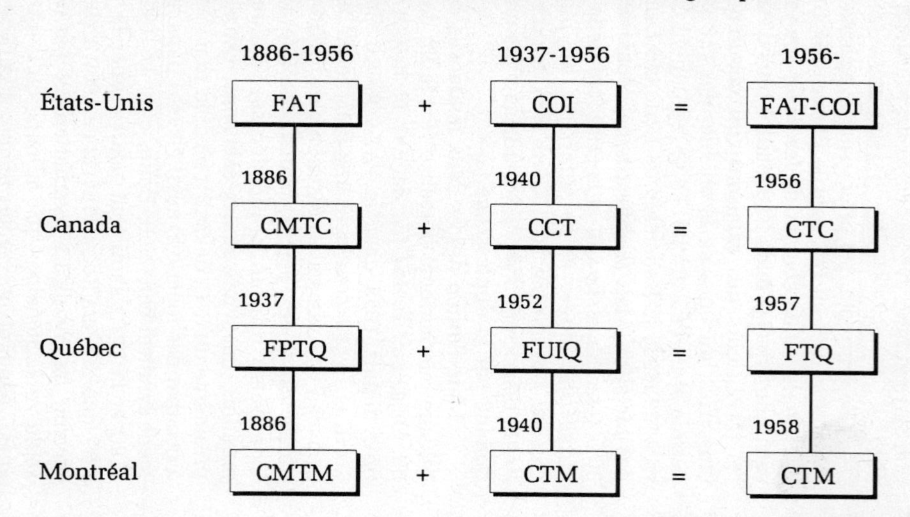

Montée de la CTCC

La Confédération des travailleurs catholiques du Canada (CTCC) prend un virage nettement plus militant au cours de la guerre et de l'après-guerre. Elle poursuit son implantation en province, se heurtant aux syndicats internationaux à l'occasion d'un conflit de travail à la compagnie Price, au Saguenay. En effet, malgré les contrats d'atelier fermé conclus entre la compagnie et les syndicats internationaux du papier, affiliés à la FAT, la majorité des ouvriers de la production adhèrent à la CTCC et font grève pendant 10 jours (1943), entraînant la constitution d'une commission gouvernementale sur les relations de travail. Cette dernière accouchera de la Loi sur les relations ouvrières (1944), c'est-à-dire du premier code du travail dans la province.

La CTCC se manifeste encore à la faveur de la célèbre grève de l'amiante (13 février-1er juillet 1949), alors que 5000 travailleurs affrontent des compagnies américaines comme John Mansville, de Thetford Mines. Après une campagne de presse révélant les conditions de travail épouvantables des mineurs, souvent frappés par la silicose et l'amiantose, deux maladies industrielles mortelles, les mineurs débraient illégalement, encourant les foudres du procureur général de la province, Maurice Duplessis, lequel dépêche la police provinciale sur les lieux et force les grévistes (qui bénéficient du soutien de l'épiscopat et de l'intelligentsia) à retourner au travail après cinq longs mois d'une grève marquée par la violence. Dans son livre *La Grève de l'amiante*, Pierre Elliott Trudeau écrit que cette grève «fut aussi une grève de reconnaissance syndicale à l'intérieur de la communauté canadienne-française» et que «la classe ouvrière, longtemps laissée dans l'ombre, avait acquis une liberté d'action et un statut officiel». En effet, si la grève suscita un mouvement de solidarité sans précédent dans le mouvement ouvrier et dans la société québécoise, et ébranla le régime duplessiste, elle se termina en revanche par une défaite ouvrière:

annulation de la reconnaissance syndicale, embauchage des briseurs de grève, aucun gain salarial pour les grévistes.

Malgré ce bilan peu reluisant, la CTCC sort grandie de cette lutte. Elle se dote d'un fonds de grève en 1949 et voit ses effectifs passer de 50 000 à près de 95 000 entre 1945 et 1960, à la suite de vigoureuses campagnes d'organisation, notamment dans la construction (19 000 cotisants en 1960), la métallurgie (de 2500 à 15 000 membres), les services publics (10 000 membres), le textile (8000 membres) et les pâtes et papier (7000 membres). Une nouvelle équipe de dirigeants, dont Gérard Picard, président en 1946, et Jean Marchand, diplômé de la faculté des sciences sociales de l'Université Laval, donne un souffle nouveau à la centrale. Le corporatisme est abandonné et, en 1960, la déconfessionnalisation est chose faite lorsque la CTCC devient la Confédération des syndicats nationaux (CSN): elle perd son épithète catholique, l'aumônier cesse de jouer un rôle décisionnel et elle accepte des membres non catholiques dès 1944.

Les avatars du syndicalisme enseignant

Durant les années 1945 à 1960, le syndicalisme enseignant reste plutôt en marge du mouvement syndical. Les enseignants sont déchirés entre leur attirance pour un statut professionnel prestigieux et l'obligation de négocier avec les commissions scolaires et de recourir aux moyens d'action des travailleurs. Le gouvernement Duplessis, qui avait déjà privé les enseignants du droit de grève, retire, en 1946, aux instituteurs et institutrices hors des villes le droit à l'arbitrage. Cela a pour conséquence de supprimer la négociation collective. Jusqu'aux années 60, les conditions de travail restent pénibles, les salaires, dérisoires et la discrimination salariale faite aux femmes se poursuit.

Le leadership de Léopold Garant (1951-1965) à la tête de la CIC est d'abord marqué par le corporatisme et par un rapprochement avec le régime Duplessis. Fondée en 1945, la CIC n'augmente ses effectifs que de 6000 membres jusqu'en 1959 (16 000 membres au total). Puis, obtenant du gouvernement de Paul Sauvé l'adhésion automatique du personnel enseignant et la déduction des cotisations syndicales à la source, ses effectifs grimpent à 28 000 membres en 1960.

Sur la scène montréalaise, un conflit retient l'attention. En 1949, les 1800 membres de l'Alliance des professeurs de Montréal débraient illégalement pour réclamer la parité salariale avec les enseignants protestants (qui gagnent 1000 $ de plus par année), et pour relever le salaire des femmes. La CECM congédie alors Léo Guindon, leader de l'Alliance, pendant que la Commission des relations ouvrières retire son certificat de reconnaissance syndicale à cette dernière; de plus, l'employeur (la CECM) met sur pied une organisation rivale, l'Association des professeurs catholiques de Montréal, qui disparaîtra en 1951, pour laisser la place à l'Association des éducateurs catholiques de Montréal, laquelle s'opposera au syndicat des enseignants jusqu'en 1959. En juin 1953, la Cour suprême conclut à l'illégalité de la révocation d'accréditation syndicale de l'Alliance: en représailles, Duplessis fait voter la loi 20, surnommée la «loi Guindon», qui prévoit (rétroactivement!) la perte de la reconnaissance pour tout syndicat de services publics qui fait grève. Ce n'est qu'en 1959 que l'Alliance récupère son certificat.

Du côté des enseignants anglophones, catholiques et protestants sont divisés. Les catholiques, qui négocient directement avec les commissions scolaires, entretiennent des liens avec les francophones. La Federation of English Speaking Catholic Teachers of Montreal, fondée en 1938, participe à la grève de 1949 avec l'Alliance et perd elle aussi sa reconnaissance syndicale. En 1958, les enseignants catholiques de langue anglaise mettent sur pied la Provincial Association of Catholic Teachers of Quebec. Quant aux protestants, ils créent dès 1864 la Provincial

Association of Protestant Teachers of Quebec et, en raison d'une rareté de personnel dans les commissions scolaires protestantes, ils jouissent de meilleures conditions de travail que les catholiques.

Lutte anticommuniste et socialisme démocratique

Pendant la dernière guerre, les militants communistes sont actifs à l'intérieur du CMTC et au CCT, occupant parfois des postes de direction. Mais la guerre froide, après 1947, rend leur position inconfortable. Partout, en Amérique du Nord, les centrales syndicales procèdent à l'expulsion des communistes; au Canada, le CCT expulse (1949) les Ouvriers unis de l'électricité, radio et machinerie d'Amérique, l'Union internationale des mineurs, lamineurs et fondeurs (les *Mine-Mill*), ainsi que l'Union internationale des travailleurs de la fourrure et du cuir (1950). Le CMTC, lui, expulse l'Union des marins canadiens et congédie Madeleine Parent et Kent Rowley de la direction des Ouvriers unis du textile d'Amérique (OUTA). Ce faisant, les syndicats se privent de militants acharnés, mais ils s'assurent d'une plus grande homogénéité idéologique.

L'émergence d'un courant social-démocrate, au cours des années 40 et 50, n'est pas étrangère à ces purges anticommunistes. Au CCT, dès 1940, on reconnaît que la CCF est le bras politique du mouvement ouvrier canadien; mais le CCT et la CCF sont quantité négligeable au Québec. Vers la fin des années 50, certains dirigeants du CMTC adoptent les thèses de la social-démocratie: Roger Provost approuve l'idée d'un parti de travailleurs, tandis que Claude Jodoin, premier président du nouveau CTC, milite en faveur de la fondation du Nouveau Parti démocratique (NPD), à l'échelon fédéral. Cependant, les forces de la gauche syndicale sont divisées pendant les années 50, une partie se donnant pour unique objectif de se débarrasser de Duplessis, quitte à militer dans le Parti libéral pour y arriver, tandis que d'autres cherchent en vain à créer un parti social-démocrate autonome au Québec.

En bref

Les années 40 et 50 voient les syndicats atteindre au statut d'institution reconnue dans la société québécoise. Les effectifs font plus que doubler, la législation reconnaît leur existence et balise le processus de la négociation collective. De plus, les grandes centrales se constituent: la CTCC se modernise, la FTQ unifie les branches du syndicalisme international et la CIC est en voie d'abandonner le corporatisme. Bien entendu, le syndicalisme doit affronter un ennemi redoutable, le duplessisme, avec tout son système archaïque et paternaliste de relations de travail qu'il cherche à imposer. L'épuration anticommuniste à l'intérieur du mouvement syndical ne doit pas faire oublier son antiduplessisme et son adhésion à des positions social-démocrates assez généralisées.

RADICALISATION ET «NOUVEAU SYNDICALISME» (1958-1990)

Avec la grève de Murdochville (1957), la nouvelle FTQ se radicalise. En effet, la grève dure sept mois et elle oppose Gaspé Copper Mines, filiale de Noranda Mines, à la section locale 4881 des Métallurgistes unis d'Amérique; elle se termine par une cuisante défaite syndicale: la compagnie conserve les briseurs de grève à son emploi et ne réembauche que 200 des 400 grévistes qui restent; 13 ans plus tard, le syndicat doit même débourser 1,5 million de dollars à la compagnie, en dédommagement des pertes subies au cours de l'arrêt de travail illégal. Mais la grève a renforcé l'unité à l'intérieur de la FTQ entre les tendances FUIQ et FPTQ, et avec la CTCC, qui a soutenu les grévistes. Dorénavant, le mot d'ordre est clair: se débarrasser du régime duplessiste!

Maurice Duplessis meurt en septembre 1959, à Schefferville, et, avec les «cent jours» de Paul Sauvé puis l'arrivée au pouvoir de l'«équipe du tonnerre» de Jean Lesage (1960), la «révolution tranquille» relègue dans l'oubli jusqu'au souvenir de la «grande noirceur duplessiste». Tels sont, du moins, les éléments d'une imagerie élémentaire, voire simpliste, mais efficace de cette période de notre histoire. Qu'en est-il sur le terrain des luttes syndicales?

Les effectifs syndicaux

D'abord, au cours de la période 1961-1990, les effectifs syndicaux croissent considérablement, passant de 353 000 membres, en 1961, à plus de un million en 1990.

TABLEAU 1.2

Effectifs syndicaux au Québec (1961-1990)

Année	Effectifs déclarés	% effectifs salariés
1961	353 300	30,5
1966	591 551	35,7
1971	728 263	37,6
1976	788 668	34,8
1981	880 199	35,4
1985	970 900	38,2
1990	1 120 650	39,0

Sources: Jacques Rouillard, *Histoire du syndicalisme québécois*, Montréal, Les éditions du Boréal, 1989, p. 289. Pour 1990, voir notre tableau 2.2 pour les effectifs syndicaux divisés par la main-d'œuvre active au Québec (moins le secteur primaire) d'après les calculs de Statistique Canada, *La Population active, février 1989-1990*, Cat. 71-001.

Les événements majeurs de 1960 à 1990

Au cours de cette période, la composition de la main-d'œuvre évolue sensiblement: pendant que le nombre de cols bleus stagne, voire diminue, le nombre de cols blancs augmente de 42 % de 1961 à 1971, et cette tendance se poursuit pendant plusieurs années. Le mouvement syndical va donc recruter davantage de membres dans les services public et parapublic, modifiant sensiblement sa composition. Cependant, au cours des années 80, de nouveaux emplois sont créés dans le secteur tertiaire privé, dans les banques, les bureaux, les commerces et les services, là où les entreprises, petites et nombreuses, sont réfractaires à la syndicalisation. Le travail à temps partiel se répand. La participation accrue des femmes sur le marché du travail se traduit par une plus grande féminisation des effectifs syndicaux: la proportion de femmes dans les syndicats passe, de 1966 à 1985, de 20,9 % à 37,3 %.

Le rêve: les années 60

En toile de fond, le contexte social, politique et économique de la «révolution tranquille», qui caractérise les années 60 et, à bien des égards, le début des années 70: croissance économique, chômage se maintenant entre 4,6 % et 7 % de la main-d'œuvre active, modernisation de l'appareil d'État — une multiplication des ministères, bureaux, offices et régies de toutes sortes, accroissement sans précédent du nombre d'employés de l'État (services public et parapublic). La nationalisation de l'électricité, la création de la Caisse de dépôt et de placement et de la Société générale de financement, la mise en place de l'assurance-hospitalisation, en 1961, la réforme de l'assurance-maladie, la création du ministère des Affaires sociales et du ministère de l'Éducation (1964) contribuent à la modernisation de l'État, d'une part, et répondent à des revendications que le mouvement ouvrier avait formulées depuis la dernière guerre, d'autre part.

Quant aux relations de travail, la première partie des années 60 se traduit par une grande réforme, qui implantera le premier véritable code du travail au Québec (1964). Le code remplace la Loi des relations ouvrières de 1944; il facilite la syndicalisation, impose la déduction volontaire et révocable des cotisations syndicales à la source, et, mesure la plus connue et la plus lourde de conséquences, il reconnaît le droit de grève dans le secteur public — sauf pour les pompiers, les policiers et les agents de la paix. La loi 15, adoptée en juin 1965, précise ce droit pour les enseignants.

De ce fait, une vague de syndicalisation déferle dans les hôpitaux, l'enseignement, la fonction publique; la CSN aide les fonctionnaires du gouvernement à s'organiser (1961), tandis que des syndicats s'implantent chez les professionnels du gouvernement, à Hydro-Québec, à la Régie des alcools du Québec (RAQ) et dans d'autres sociétés d'État. Même si «la reine ne négocie pas avec ses sujets», selon Jean Lesage, premier ministre du Québec (1960-1966), des grèves «illégales» se multiplient dans les hôpitaux et dans les écoles, forçant le gouvernement à négocier. Une première ronde de négociations, encore décentralisée à cette époque, est marquée par de nombreux conflits (1964-1967). La grève des 2500 membres du Syndicat des professeurs de l'État du Québec, affilié à la CSN, se termine par l'emprisonnement de 13 de ses dirigeants pour avoir résisté à une injonction. Les trois semaines de grève des 32 500 travailleurs hospitaliers (1966) permettent à la Fédération des affaires sociales (FAS) de la CSN d'établir son leadership dans ce secteur. Après les 10 000 employés d'Hydro-Québec (Syndicat canadien de la fonction publique, FTQ) qui remportent une victoire importante (1966), les enseignants de la CIC se butent à la loi spéciale numéro 25, votée en février 1967 pour mettre fin à leur grève. En somme, l'État prend la relève des commissions scolaires et des établissements de santé, et s'affirme comme le grand patron des négociations, fixant les conditions de travail et les salaires à l'échelle provinciale: c'est un tournant important de l'histoire des relations de travail au Québec. Ainsi, le nouveau ministère de la Fonction publique coordonne les négociations nationales (1969) avec les fonctionnaires, les employés de la RAQ, ceux des hôpitaux et les enseignants; cette première ronde se termine par des victoires patronales devant la division des syndicats.

Dans le secteur privé, de grandes grèves ponctuent également cette période. La grève des typographes au quotidien *La Presse* (1964) dure sept mois; celle des 30 000 travailleurs du bâtiment (1966), menée conjointement par les syndicats de la FTQ et de la CSN, entraîne la modification du régime de négociation dans ce secteur névralgique: la loi 290 impose (1968) une centralisation des négociations tout en accordant la syndicalisation obligatoire dans l'industrie et l'institutionnalisation de la pratique du «maraudage» syndical. Signalons, également, le conflit à l'usine de Seven-Up, à Mont-Royal (1967-1968), qui tourne à l'affrontement avec la police; la grève de quatre mois à l'usine Ayers, de Lachute, et l'occupation de l'usine Domtar de Windsor, en Estrie (1968). En 1969, 100 000 grévistes témoignent de la vigueur du mouvement syndical au cours de 141 arrêts de travail: un record! L'armée canadienne est appelée à Montréal pour remplacer les policiers en grève; le climat social se détériore encore davantage avec les grèves et les émeutes à l'occasion du conflit à Murray Hill, mettant en cause les chauffeurs de taxi de Montréal, et au moment de la présentation du «bill 63», qui permet la liberté de choix de la langue d'enseignement.

L'affrontement: les années 70

Au cours des années 70, le taux de chômage passe à 9,3 % en moyenne pour les années 1974 à 1981, tandis que l'inflation prive les travailleurs de tout accroissement de leur pouvoir d'achat. Sur la scène politique, la «crise d'octobre 1970» inaugure la décennie en opposant le Front de libération du Québec (FLQ) au gouvernement puis à l'armée du Canada. En raison de la mort du ministre Pierre Laporte et du recours à la violence terroriste, le FLQ est désavoué par les centrales syndicales, mais son message anticapitaliste et nationaliste québécois reste proche du discours syndical de l'époque. Les chefs des centrales, Louis Laberge (FTQ), Marcel Pepin (CSN) et Yvon Charbonneau (CEQ), s'allient au chef du Parti québécois, René Lévesque, et à l'éditorialiste Claude Ryan afin de mener le combat en faveur du rétablissement des libertés civiles menacées par l'imposition de la Loi des mesures de guerre.

C'est l'époque des grèves dures et longues: celle des «gars de Lapalme» commence en 1970 et se termine deux ans plus tard par la mort du syndicat des camionneurs postaux de la CSN. Un nouveau conflit à *La Presse*, en 1971, dure sept mois, entraîne la mort d'une manifestante, Michèle Gauthier, et donne lieu à d'imposantes funérailles syndicales. Le premier front commun dans les secteurs public et parapublic, qui regroupe 210 000 travailleurs de la CSN, de la CEQ, de la FTQ et des syndicats de fonctionnaires, affronte le gouvernement au cours du printemps chaud de 1972, alors que la ville de Sept-Îles est pratiquement occupée par les grévistes et que les dirigeants des trois centrales sont condamnés à un an de prison pour avoir recommandé de résister à une injonction. Un nouveau front commun (1975-1976) obtient, dans le secteur des affaires sociales, un salaire hebdomadaire de base de 165 $, la parité salariale entre les hommes et les femmes et quatre semaines de congés payés après un an de service. De nombreux conflits éclatent également aux postes fédérales, dont l'enjeu demeure le contrôle des changements technologiques.

Au milieu des années 70, l'une des batailles majeures demeure la lutte pour l'indexation des salaires et contre le contrôle des prix et des salaires instauré par le gouvernement Trudeau en 1975. Plus de 250 000 travailleurs québécois participent (14 octobre 1976) à une grève générale d'une journée contre ces mesures, grève suivie par 1 200 000 syndiqués au Canada; le gouvernement mettra fin aux contrôles peu après. De violentes grèves éclatent également contre les multinationales américaines: celle des 2300 ouvriers de la General Motors de Sainte-

Thérèse, représentés par les Travailleurs unis de l'automobile (TUA-FTQ, qui deviendront les Travailleurs canadiens de l'automobile), dont l'un des enjeux est l'instauration du français comme langue de travail. Des grèves contre Canadian Gypsum et Firestone à Joliette (1973), contre United Aircraft (devenue Pratt et Whitney) à Longueuil (1974-1975) et contre Robin Hood à Montréal (1977) sont toutes jalonnées par les interventions de briseurs de grèves et des milices patronales armées.

Les années 70 sont marquées par l'émergence des revendications des femmes et leur prise en charge par les syndicats. Les premiers comités de la condition féminine sont créés à la CEQ et à la FTQ en 1973, suivis par la CSN en 1974. L'Année internationale des femmes (1975) et les célébrations annuelles du 8 mars catalysent la réflexion; les demandes syndicales incluent maintenant des revendications telles que le congé de maternité de 20 semaines payées, les garderies en milieu de travail, le paiement d'un salaire égal pour un travail équivalent.

Voilà la toile de fond sur laquelle les centrales syndicales ébauchent leur radicalisation et deviennent les enjeux majeurs d'une lutte idéologique intense. Coup sur coup, elles adoptent des manifestes qui remettent en question la société capitaliste: *Ne comptons que sur nos propres moyens,* clame la CSN (septembre 1971); *L'État, rouage de notre exploitation,* répond en écho la FTQ (décembre 1971), tandis que la CEQ dénonce *L'École au service de la classe dominante* (1972).

Sur la scène politique, les syndicats sont divisés. À ceux, comme la FTQ, qui appuient le Parti québécois, nationaliste et social-démocrate, jugé le «parti le plus proche des intérêts des travailleurs», les plus radicaux opposent une solution qui réside dans la construction d'un parti autonome des travailleurs. Déjà, au cours des années 60, le Parti socialiste du Québec (PSQ) avait pu canaliser dans cette voie certaines énergies. Au cours des années 70, les groupes d'extrême gauche comme En lutte!, le Parti communiste ouvrier (PCO) et le Groupe socialiste des travailleurs du Québec (GSTQ) tentent de tirer parti des dures luttes ouvrières pour se constituer en avant-garde politique. Ces tentatives échoueront à la fin des années 70, non sans avoir profondément perturbé les organisations syndicales.

Sur la scène municipale, les succès sont plus tangibles: si le Front d'action politique (FRAP) est créé en juin 1970, c'est le Rassemblement des citoyens et des citoyennes de Montréal (RCM), né en 1974 de la fusion des militants syndicaux et des groupes populaires montréalais, qui canalise le mieux les volontés réformistes: il décroche 45 % des voix et fait élire le tiers des conseillers municipaux en 1974. À l'échelon fédéral, l'éternel débat concerne l'appui au NPD, que la FTQ renouvelle une année après l'autre, alors que les autres centrales se cantonnent dans la neutralité. L'élection du premier gouvernement péquiste (1976) est bien accueillie par les centrales, qui récoltent les fruits de leur appui: René Lévesque retire les poursuites engagées contre les syndicats à la suite du front commun de 1975-1976 et réforme le Code du travail (1977) pour rendre l'accréditation syndicale plus aisée, y introduire la formule Rand ainsi que des dispositions anti-briseurs de grève; il fait adopter des lois progressistes en matière de santé et de sécurité au travail, tout en augmentant le salaire minimum au niveau le plus élevé au Canada.

La désillusion: les années 80

La CSN et la FTQ appuient officiellement le «oui» au référendum de 1980, tandis que la CEQ, qui a contesté la validité de la loi 101 devant les tribunaux, adopte la neutralité. La récession de 1981-1982 accule le mouvement syndical à la défensive: de fortes pressions sont exercées sur l'État pour qu'il révise à la baisse ses programmes sociaux, alors que les faillites et les mises à pied se succèdent à un rythme inquiétant; les syndicats du secteur public refusent d'ouvrir les conventions collectives pour que le gouvernement reprenne des avantages consentis au cours des dernières négociations. L'affrontement tourne mal: le gouvernement supprime le droit de grève des employés de l'État, coupe les salaires de 21 % pendant trois mois, modifie le régime de retraite à la baisse, augmente la charge de travail des enseignants et impose les conditions de travail des 320 000 employés de l'État pour les trois prochaines années. Une grève générale des enseignants est brutalement interrompue par l'adoption de la loi la plus rigoureuse de l'histoire des relations de travail au Québec, la loi 111: elle ordonne le retour au travail sous peine de sanctions draconiennes: congédiements, perte d'ancienneté et suspension de droits syndicaux. Le gouvernement en arrive même à suspendre la Charte des droits et libertés. La défaite est sévère pour le mouvement syndical, qui éprouve de plus en plus de difficultés à obtenir l'appui d'une opinion publique largement hostile aux grèves dans les écoles et les hôpitaux.

Pendant ce temps, la récession touche durement le secteur privé; les faillites se multiplient, entraînant la perte de milliers de membres pour les syndicats de la FTQ, de la CSN et de la CSD. La reprise économique des années 1984-1985 ne se traduit pas par une croissance des emplois: tout au plus récupère-t-on les emplois perdus. Dorénavant, ce sont les petites et moyennes entreprises du secteur des services qui créent des emplois et la moitié de ceux-ci sont à temps partiel. Confronté à un État qui refuse de consentir de nouveaux avantages aux travailleurs et aux travailleuses du secteur public, d'une part, et à un patronat qui modifie substantiellement ses stratégies d'investissement, de création d'emplois et de relations de travail, d'autre part, le mouvement syndical doit réorienter son action sous peine d'être abandonné par ses propres membres: durant les années 80 on assiste à la prolifération de syndicats indépendants qui représenteront plus du cinquième des syndiqués québécois en 1990. C'est ce que l'on appelle le «nouveau syndicalisme».

Enfin, au cours des années 1985-1990, le chômage se stabilise au-dessus de 10 % de la main-d'œuvre et réduit le pouvoir de négociation des syndicats. Le nombre de conflits de travail diminue et celui des syndiqués croît moins vite que le volume de travailleurs rémunérés. Cependant, contrairement à ce qui se passe aux États-Unis et dans le reste du pays, le taux de syndicalisation se maintient à un niveau relativement élevé, soit au-dessus de 38 % de la main-d'œuvre salariée.

En bref

De 1958 à 1985, le syndicalisme devient une force majeure de la société québécoise: les effectifs syndicaux passent de 350 000 à plus de un million de membres. La FTQ devient la principale centrale syndicale québécoise, malgré la forte poussée de la CSN au cours des années 60; la CEQ devient un grand syndicat général qui recrute dans le secteur public. La déconfessionnalisation et l'abandon du corporatisme s'accompagnent d'une radicalisation des centrales. Par contre, la radicalisation provoque l'éclatement de la CSN et de nombreux déchirements ailleurs, surtout à l'occasion de la crise économique de 1982-1983. Au cours des années 80, le mouvement syndical amorce une réflexion majeure. De nouveaux défis, reliés à la démocratie syndicale, à la place des femmes et des jeunes dans les syndicats et sur le marché du travail, à l'adoption du traité de libre-échange, aux changements technologiques et à la précarisation de l'emploi, confrontent le mouvement syndical à des réalités fort exigeantes.

NOTE

[1] Données de Travail Canada. Jacques Rouillard estime, en complétant les données du ministère, que de 97 800, en 1921, les effectifs syndicaux québécois passent à 72 100 en 1931. Voir Jacques Rouillard, *Histoire du syndicalisme québécois*, Montréal, Les éditions du Boréal, 1989, p. 74.

CHAPITRE 2

Le syndicalisme au Québec aujourd'hui

Le syndicalisme se porte bien au Québec, contrairement aux États-Unis et en France où il est en perte de vitesse. Le bulletin de santé du syndicalisme que nous proposons met l'accent sur les indicateurs suivants: les effectifs syndicaux, au Canada et au Québec; le portrait des centrales syndicales: leurs effectifs, leurs structures et leurs secteurs d'implantation; la croissance du syndicalisme indépendant. Mais dans un premier temps, nous définissons le cadre légal dans lequel agissent les syndicats au Québec.

LE CADRE LÉGAL[1]

En vertu de l'article 92 de la Constitution canadienne, la législation du travail relève principalement des provinces. Cependant, les domaines suivants sont de compétence fédérale:

- les travaux ou les entreprises ayant un caractère international ou interprovincial, comme les chemins de fer, le transport par autobus, le transport par camion, les pipelines, les bacs transbordeurs, les tunnels, les ponts, les canaux ainsi que les réseaux de télégraphe, de téléphone et de câble;

- le transport maritime extra-provincial et les services connexes comme l'arrimage et le débardage;
- le transport aérien, les aéronefs et les aéroports;
- la radiodiffusion et la télévision;
- les banques;
- les travaux déclarés par le Parlement être à l'avantage du Canada ou à celui de deux provinces ou plus, comme les élévateurs à grain, l'extraction et la transformation de l'uranium;
- certaines sociétés fédérales de la Couronne, les Postes, par exemple.

Le Code canadien du travail[2] s'applique donc dans ces domaines. Dans les autres cas, les provinces ont toutes adopté une législation en matière de relations de travail, touchant les domaines de l'accréditation syndicale, de la négociation collective et des conflits de travail. En 1925, avec la conclusion de l'affaire Snider[3], le Conseil privé de Londres invalida la loi fédérale sur les enquêtes de 1907 en matière de différends industriels et reconnut définitivement la prépondérance des provinces en ce qui concerne les rapports collectifs de travail.

Mais le cadre légal ne s'arrête pas à la Constitution. Il est défini par les lois statutaires adoptées par les différents paliers de gouvernement. Au Québec, la présence des syndicats catholiques a inspiré la mise en place d'une législation originale, unique en Amérique du Nord. Si la Loi des syndicats professionnels[4] (1924) reconnaît l'existence de syndicats et la légalité des contrats collectifs de travail, la Loi relative à l'extension des conventions collectives, sanctionnée le 20 avril 1934, permet au gouvernement de rendre obligatoires, pour tous les salariés et les employeurs d'un même métier ou d'une même industrie, les dispositions d'une convention collective majeure dans ce métier ou ce secteur industriel.

C'est pendant la Deuxième Guerre mondiale que les gouvernements fédéral et provinciaux jetteront les bases de notre système actuel de relations de travail. Le gouvernement fédéral a d'abord instauré une commission des relations de travail (1944), tandis que le Québec adoptait la Loi des relations ouvrières. Ces lois appliquaient les principales dispositions législatives du Wagner Act américain: la reconnaissance du syndicat, l'obligation de négocier avec celui-ci, l'interdiction d'empêcher les employés de se syndiquer et la création d'un organisme de contrôle de ces pratiques. Cependant, au Québec et au Canada, une procédure de conciliation et d'arbitrage obligatoire avant l'exercice du droit de grève fut ajoutée; et de plus, la grève fut interdite dans les services publics au Québec dès 1944.

Pendant la «révolution tranquille», le gouvernement de Jean Lesage a doté le Québec de son premier véritable code du travail (1964). Devant une menace de grève générale, le gouvernement a reconnu le droit de grève aux syndicats du secteur public, fait assez rare en Amérique du Nord. Le Code du travail s'applique à l'ensemble des rapports collectifs de travail au Québec, sauf aux entreprises de compétence fédérale, à l'industrie de la construction (régie par la Loi sur les relations de travail dans l'industrie de la construction) et aux policiers de la Sûreté du Québec, laquelle possède son propre régime de relations de travail. La Loi sur les décrets de convention collective et la Loi sur le régime de négociation de conventions collectives dans les secteurs public et para-public[5] complètent ou précisent la portée du Code du travail. La Commission consultative sur le travail et la révision du Code du travail, présidée par le juge Beaudry, remit son rapport final en 1985. En fin de compte, la loi 30 constituant la Commission des relations du travail fut adoptée en 1987. Malgré tout, cette réforme n'est toujours pas en vigueur en 1991, et cette nouvelle Commission des relations de travail devrait intervenir dans tous les secteurs des rapports collectifs de travail, y compris l'accréditation syndicale.

LES EFFECTIFS SYNDICAUX

Il est extrêmement difficile de se faire une idée juste des effectifs syndicaux au Québec et au Canada, notamment en raison des systèmes différents de cueillette des données de Statistique Canada et du ministère du Travail québécois. En effet, le gouvernement fédéral obtient ses renseignements par le biais des syndicats de plus de 50 membres, qui doivent obligatoirement déclarer leurs effectifs en vertu de la loi. Les chiffres les plus récents englobent l'année 1988 seulement. Le ministère du Travail du Québec, lui, effectue plutôt le décompte des travailleurs soumis à des conventions collectives régies par le Code du travail, ce qui exclut les travailleurs de la construction et les travailleurs couverts par le Code canadien du travail. Ses données englobent l'année 1990. Il faut donc considérer les statistiques suivantes comme les indicateurs les plus fiables et les plus récents de la réalité syndicale canadienne et québécoise, en tenant compte des limites indiquées ci-dessous.

La situation canadienne

Les effectifs totaux des syndicats ouvriers ayant fait une déclaration étaient de quatre millions de membres au Canada (1990) pour un taux de syndicalisation de 36,2 % des travailleurs salariés non agricoles. Les effectifs des syndicats nationaux atteignent maintenant 68 % du total des effectifs syndicaux canadiens. L'augmentation des effectifs féminins (4 %) est légèrement supérieure à la croissance syndicale globale; les 1,4 million de membres féminins, en 1988, représentent une augmentation de 400 % par rapport à la situation de 1965. En comparaison, les effectifs masculins ont augmenté de 65 % au cours de la même période.

Avec un taux de syndicalisation de 52,4 %, Terre-Neuve était en 1988 la province la plus syndiquée au Canada. Le Québec est à la deuxième place, affichant un taux de près de 39 %, à égalité avec la Colombie-Britannique. Aujourd'hui, le syndicalisme canadien est une «affaire» de près de un milliard de dollars, avec des revenus globaux de 745,9 millions en 1988, des salaires et honoraires de plus de 43 millions et des placements de 770 millions, lesquels se répartissent en obligations du gouvernement, en encaisse et dépôts à terme, en actions de sociétés. Le tableau 2.1 donne une idée de la situation syndicale canadienne; les effectifs de la FTQ sont répartis dans les catégories FAT-COI/CTC et CTC.

La situation québécoise

Si l'on se fie aux chiffres du ministère du Travail québécois, le Québec a affiché une légère progression de son taux de présence syndicale en 1990; il serait passé de 45,4 % à 46,9 %. Cependant, ces chiffres ne peuvent être acceptés tels quels. En effet, Jacques Rouillard a montré[6] qu'ils sont établis en s'appuyant sur une source peu fiable, un catalogue de Statistique Canada *(Emploi, gains et durée de travail)* qui sous-estime de façon importante la population des travailleurs rémunérés. D'où le taux de présence syndicale plus élevé que l'on obtient ainsi. En réalité, la proportion de travailleurs syndiqués au Québec s'établit à 37,4 % en 1989 et à environ 39 % en 1990. La croissance des effectifs syndicaux ne fait que suivre l'augmentation du volume de la main-d'œuvre.

Le tableau 2.2 donne une idée de l'évolution des effectifs syndicaux au Québec depuis 1961, selon leur affiliation syndicale.

Comme on le voit, la FTQ demeure, et de loin, la plus importante centrale syndicale québécoise, avec 42 % des syndiqués. Les syndicats indépendants, avec environ 22 % des effectifs, deviennent une force importante sur l'échiquier syndical. Les

Répartition des effectifs canadiens et des sections locales selon le genre de syndicat et l'affiliation à la centrale (1990)

Genre et affiliation	Syndicats	Sections locales	EFFECTIFS	
			Nombre	%
Syndicats internationaux	61	3295	1 283 867	31,9
FAT-COI/CTC (FTQ)	39	2659	876 626	21,7
FAT-COI/FCT	10	392	203 304	5,0
CTC seulement (FTQ)	3	30	10 772	0,3
FAT-COI seulement	4	111	177 568	4,4
Syndicats non affiliés	5	103	15 597	0,4
Syndicats nationaux	234	13 515	2 563 216	63,6
CTC (FTQ)	48	6442	1 468 458	36,4
CSN	8	2063	211 735	5,3
CEQ	12	441	103 141	2,6
CSC	14	90	32 394	0,8
CSD	3	176	17 695	0,4
FCT	4	41	8 010	0,2
FCNSI	9	8	2 173	0,1
Syndicats non affiliés	136	4254	719 610	17,9
Syndicats à charte directe	341		47 776	1,2
CSD	301		42 901	1,1
CTC (FTQ)	38		4800	0,1
CSN	2		75	0,0
Organisations locales indépendantes	380		135 900	3,4
TOTAL	1016	16 810	4 030 759	100,0

Source: Travail Canada, Bureau de renseignements sur le travail, *Répertoire des organisations de travailleurs et travailleuses au Canada, 1990-1991*, Ottawa, Approvisionnements et Services Canada, 1990, p. IXX (annexe II).

TABLEAU 2.2

Répartition des effectifs selon l'affiliation syndicale au Québec (1961-1990) (% entre parenthèses)

	1961	1966	1971	1976	1981	1985	1990
CTC/FTQ	201 235	300 179	364 004	403 155	425 850	450 000	470 000[1]
	(57)	(48,2)	(49,9)	(51,65)	(48)	(46,3)	(42)
CSN	90 733	190 454	184 925	151 951	189 295	209 000	211 810[2]
	(25,7)	(30,5)	(25,3)	(19,2)	(21,5)	(21,5)	(18,9)
CEQ	33 840	54 258	70 000	82 548	81 033	91 586	103 141[2]
		(8,7)	(9,6)	(10,4)	(9,2)	(9,4)	(9,2)
CSD				37 922	49 581	39 885	60 596[2]
				(4,8)	(5,6)	(4,1)	(5,4)
FCT/CPQMC							26 084[3]
							(2,3)
Autres	61 076	77 887	109 334	113 092	134 440	180 429	249 019[4]
	(17,7)	(12,5)	(15,0)	(14,3)	(15,2)	(18,5)	(22,2)
TOTAL	353 044	662 778	728 263	788 668	880 199	970 000	1 120 650

Sources: Jacques Rouillard, *Histoire du syndicalisme au Québec*, Montréal, Les éditions du Boréal, 1989, p. 302. Le total pour 1961 est calculé sur les effectifs déclarés et n'inclut pas la CEQ, qui ne se considère pas encore comme une centrale syndicale. De 1976 à 1990, il faudrait ajouter la Confédération des syndicats canadiens (CSC), qui compte peu de membres au Québec. La catégorie Autres comprend les syndicats indépendants et quelques syndicats affiliés à une centrale canadienne. Pour 1990: [1] Estimation fournie par la FTQ; [2] Travail Canada, Bureau de renseignements sur le travail, *Répertoire des organisations de travailleurs et travailleuses au Canada, 1990-1991*, Ottawa, Approvisionnements et Services Canada, p. IXX (annexe II); [3] Chiffres pour 1988 de la Commission de la construction du Québec, *Rapport d'activités 1989*, p. 40; [4] France Racine, «La syndicalisation au Québec en 1990», *Les Relations du travail en 1990*, encart dans *Le Marché du travail*, décembre 1990, p. 25.

centrales commencent d'ailleurs à réagir et à s'en prendre au «corporatisme» dont feraient preuve ces syndicats indépendants en défendant seulement les intérêts de leurs membres. Pour sa part, la CSN conserve sa place de deuxième centrale en importance au Québec, mais les gains de la CEQ, qui se présente de plus en plus comme une centrale générale du secteur public, voire du secteur privé, inquiètent la CSN. Enfin, la CSD atteint le seuil de la crédibilité avec 60 000 membres.

Si l'on cherche à mesurer l'importance des centrales syndicales dans la répartition des conventions collectives signées en vertu du Code du travail, il ressort d'une telle enquête que la FTQ demeure la plus importante des centrales québécoises: elle regroupe 35,5 % des salariés visés par une convention collective et 40,9 % des travailleurs de la construction. Les syndicats indépendants rassemblent maintenant 25,5 % des salariés assujettis à une convention: c'est plus que la CSN, qui, avec ses 23,5 % de salariés, se classe au troisième rang (tableau 2.2). Encore là, cependant, il faut se méfier des chiffres, car ils surestiment la part des syndicats indépendants en écartant les travailleurs de la construction, dont 85 % sont syndiqués auprès des grandes centrales, et les travailleurs du secteur fédéral, également membres des centrales syndicales dans une large proportion. Quant au secteur d'appartenance des syndicats, dont le tableau 2.3 fournit un aperçu, on distinguera le secteur public (les fonctionnaires), le parapublic (éducation, santé et services sociaux), le péripublic (organismes qui doivent soumettre leur politique de rémunération au Conseil du Trésor), le privé et le secteur municipal. Ces données excluent cependant le secteur fédéral et les salariés assujettis au décret de la construction de même que ceux qui ont signé une convention collective en vertu du Code canadien du travail.

Le tableau 2.4 permet d'établir le taux de présence syndicale dans les divers secteurs d'activité

TABLEAU 2.3

Répartition des salariés au Québec selon l'affiliation syndicale et le secteur d'appartenance (1990)

Secteurs	CEQ		CSD		CSN		FTQ		Indép.		Autres*		Total	
	N	%	*N*	%	*N*	%	*N*	%	*N*	%	*N*	%	*N*	%
Public									66 078	100			66 078	7
Parapublic	88 714	27	5 238	2	128 538	39	40 395	12	68 676	21	-	-	331 561	34
Péripublic	9	-	253	1	7166	19	22 265	58	8379	22	135	-	38 207	4
Privé	3314	1	35 341	7	88 267	18	260 010	53	89 607	18	17 261	4	493 800	51
Adm. municipale	-	-	1243	3	4951	11	24 196	52	16 279	35	5	-	46 674	5
TOTAL	*N*	%	*N*	%	*N*	%	*N*	%	*N*	%	*N*	%	*N*	%
	92 037	9	42 075	4	228 922	24	346 866	36	249 019	26	17 401	2	976 320	100

* La catégorie Autres comprend: la Fédération américaine du travail-Congrès des organisations industrielles (FAT-COI), le Congrès du travail du Canada (CTC), la Confédération des syndicats canadiens (CSC), la Fédération canadienne du travail (FCT) et l'Union des producteurs agricoles (UPA). Extrait de France Racine, «La syndicalisation au Québec en 1990», *Les Relations du travail en 1990*, encart dans *Le Marché du travail*, décembre 1990, p. 23.

économique du Québec. Les secteurs les plus syndiqués (plus de 60 % des salariés) sont: le caoutchouc, le papier, la première transformation des métaux, la fabrication d'équipement de transport, la fabrication de produits électriques, la fabrication de produits minéraux non métalliques, la construction (85 %), les communications, l'enseignement, les services médicaux et sociaux et l'administration publique (90,8 %). Les secteurs les moins syndiqués (moins de 30 % des salariés) sont: la bonneterie, l'industrie chimique, les industries manufacturières diverses, le commerce de gros et de détail, les finances, les assurances et les immeubles (7,9 %), le divertissement et les loisirs, les services fournis aux entreprises, les services personnels, l'hébergement et la restauration de même que les services divers. L'expression «salariés» s'applique ici aux salariés visés par une convention collective au sens du Code du travail, aux salariés qui sont visés par une convention collective conclue en vertu du Code canadien du travail ou de la Loi sur les relations de travail dans la fonction publique (fédérale) ainsi qu'aux salariés actifs de l'industrie de la construction.

LES CENTRALES SYNDICALES

Nous décrirons les quatre grandes centrales syndicales québécoises, soit la Fédération des travailleurs et travailleuses du Québec (FTQ), la Confédération des syndicats nationaux (CSN), la Centrale de l'enseignement du Québec (CEQ) et la Centrale des syndicats démocratiques (CSD). Pour chacune d'entre elles, nous donnerons les effectifs, la composition et la structure décisionnelle simplifiée. Puis nous aborderons deux centrales marginales, la Fédération canadienne du travail (FCT) et la Confédération des syndicats canadiens (CSC). Il ne sera toutefois pas question ici de comparer les centrales ni de les juger. Les renseignements proviennent des statuts et règlements de chaque centrale syndicale en vigueur en avril 1990[7].

TABLEAU 2.4

Taux de présence syndicale selon le nombre d'emplois et de salariés visés par une convention collective au Québec (1990)

Secteurs d'activité économique	Emplois	Nombre de salariés	Taux de présence syndicale (%)
Agriculture	-	-	-
Sylviculture	19 438	8 493	43,7
Chasse et pêche	-	-	-
Mines	19 290	10 415	54,0
Primaire	**38 728**	**18 908**	**48,2**
Aliments et boissons	59 101	32 110	54,3
Tabac	2 857	1 901	66,5
Caoutchouc	19 965	10 406	52,1
Cuir	8 057	3 871	48,0
Textile	27 355	14 718	53,8
Bonneterie	10 811	2 044	22,2
Habillement	54 551	18 164	33,3
Bois	34 305	16 878	49,2
Meubles	22 297	10 251	46,0
Papier	45 782	34 799	76,0
Imprimerie	35 678	13 524	37,9
Première transformation des métaux	26 916	20 349	75,6
Fabrication des produits en métal	38 419	15 403	40,1
Fabrication de machines	24 763	9 416	38,0
Fabrication d'équipement de transport	43 076	27 429	63,7

Fabrication de produits électriques	33 850	22 503	66,5
Fabrication de produits minéraux non métalliques	14 951	12 884	86,2
Fabrication de produits du pétrole	3 380	1 768	52,3
Industrie chimique	29 681	8 887	29,9
Industries manufacturières diverses	22 080	6 567	29,7
Manufacturier	**557 875**	**284 232**	**50,9**
Construction	**135 889**	**116 130**	**85,5**
Secondaire	**693 764**	**400 362**	**57,7**
Transport et entreposage	124 199	56 201	45,3
Communications	57 271	40 893	71,4
Électricité, gaz et eau	34 749	18 932	54,5
Commerce de gros	154 803	15 778	10,2
Commerce de détail	319 132	57 803	18,1
Finances, assurances et immeubles	150 892	11 950	7,9
Enseignement	223 830	157 486	70,4
Services médicaux et sociaux	273 462	208 813	76,4
Divertissement et loisirs	40 146	5 152	12,8
Services fournis aux entreprises	150 859	18 820	12,5
Services personnels, hébergement et restauration	203 797	28 178	13,8
Services divers	55 919	12 707	22,7
Administration publique	174 562	158 469	90,8
Tertiaire	**1 963 621**	**791 182**	**40,3**
Ensemble des secteurs	**2 580 524**	**1 210 452**	**46,9**

Source: France Racine, «La syndicalisation au Québec en 1990», *Les Relations du travail en 1990*, encart dans *Le Marché du travail*, décembre, 1990, p. 25.

Toutes les centrales ont adopté une double structure de représentation des intérêts de leurs membres correspondant à la double vocation du syndicalisme moderne, à savoir, d'une part, une vocation de nature économique et professionnelle, axée sur la négociation et l'application des conventions collectives, dont la structure est verticale, rassemblant les syndicats locaux et les organismes d'un palier supérieur, telles les fédérations, les unions ou les fraternités; d'autre part, une vocation de nature sociopolitique, axée sur la revendication d'un mieux-être collectif, dont la structure est horizontale, rassemblant les syndicats locaux sur une base géographique et dont l'objectif est de défendre les intérêts sociaux et politiques de leurs membres auprès des pouvoirs publics.

La Fédération des travailleurs et travailleuses du Québec (FTQ)

Effectifs et nature de la centrale

La FTQ existe depuis 1957. Elle est la plus importante centrale syndicale québécoise. Elle regroupait 470 000 membres en 1990. La FTQ est une fédération provinciale du CTC, lequel représente près de trois millions de salariés au pays.

Depuis 1974, la FTQ est très autonome par rapport au CTC: contrairement aux autres fédérations provinciales, elle a plein pouvoir quant aux conseils du travail représentatifs des sections locales des syndicats sur une base régionale ainsi qu'à la formation syndicale, que le gouvernement fédéral subventionne annuellement par des sommes substantielles (des centaines de milliers de dollars). La FTQ regroupe des sections locales de 63 syndicats nationaux et internationaux. Chaque syndicat possède sa propre constitution et ses propres règlements. La section locale peut correspondre à un établissement en particulier (la section 1751: l'Association internationale des machinistes et des travailleurs de l'aéroastronautique (AIMTA) d'Air Canada et de Eastern, à Montréal; à un territoire (ex.: les Travailleurs unis de l'alimentation et du commerce, la section 503, à Québec); ou à un secteur économique (ex.: les Travailleurs unis de l'alimentation et du commerce, la section 501, entrepôts). L'affiliation à la FTQ est volontaire: ce sont les sections locales qui s'affilient à la FTQ et non les syndicats, comme au CTC.

Les syndicats les plus importants de la FTQ sont: le Syndicat canadien de la fonction publique; les Métallurgistes unis d'Amérique; les Travailleurs et travailleuses unis de l'alimentation et du commerce; l'Alliance de la fonction publique du Canada; l'Union des employés de service; le Syndicat canadien des travailleurs du papier; le Syndicat national des travailleurs et travailleuses de l'automobile, de l'aérospatiale et de l'outillage agricole du Canada.

Structures

Le congrès est l'instance suprême de la Fédération. Il se réunit tous les deux ans et il regroupe environ 1000 délégués. Chacune des sections locales a droit à au moins un membre; toute tranche supplémentaire de 200 membres au-delà de 300 permet d'ajouter un délégué. Les conseils du travail mandatent chacun trois délégués; ils ont le droit à un délégué supplémentaire pour chaque tranche de 20 000 membres. Enfin, le président de la centrale, le secrétaire général et les 14 vice-présidents sont délégués de plein droit au congrès. Jusqu'ici, la FTQ a connu trois présidents: Roger Provost (1957-1964), Louis Laberge (1964-1991) et Fernand Daoust (1991-).

Le conseil général, formé d'environ 150 membres, gouverne la centrale entre les congrès et se réunit au moins trois fois par année. Il est formé des membres du bureau de la centrale, à savoir: le président, le secrétaire général et les 14 vice-présidents (dont trois sont statutairement des femmes), des directeurs des conseils du travail, des directeurs des

FIGURE 2.1

Structures de la FTQ

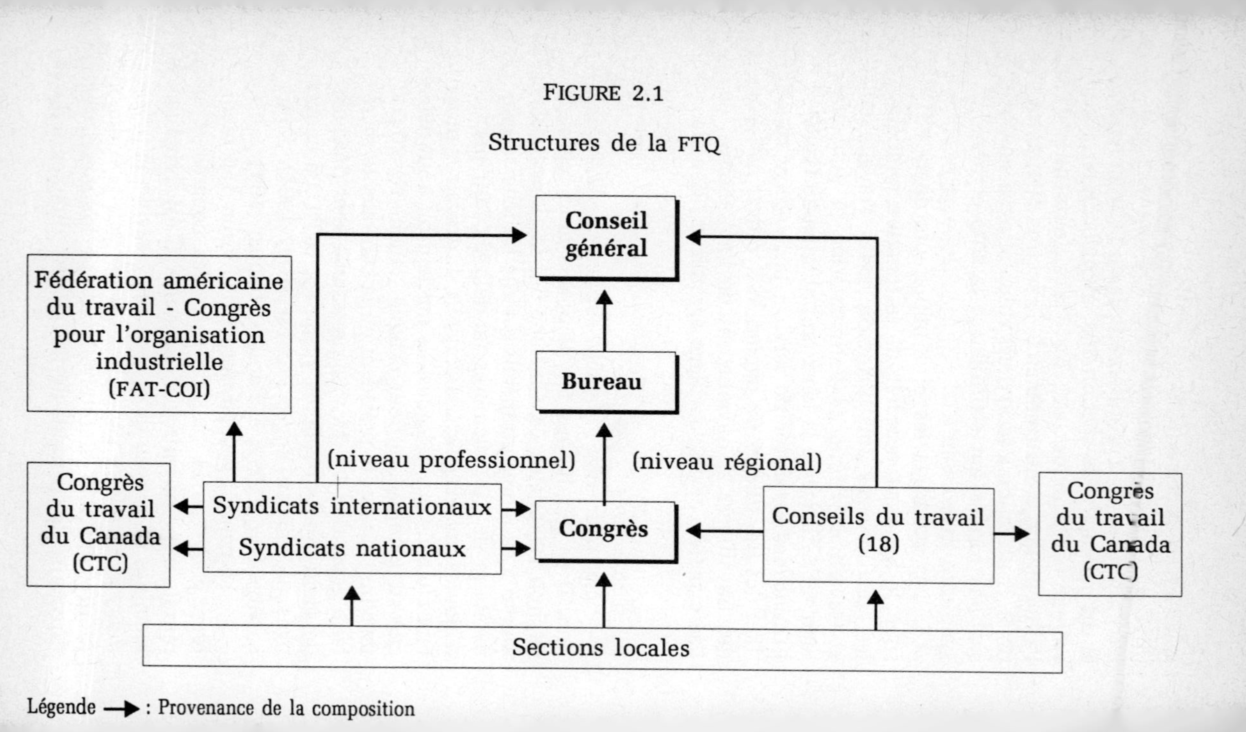

conseils régionaux de travailleurs et des directeurs représentant les syndicats dont les sections locales sont affiliées directement à la centrale. Le bureau expédie les affaires courantes de la centrale entre les réunions du conseil général; il est assisté d'un conseil consultatif formé des cadres de la centrale, de ceux du CTC au Québec et de ceux de tous les syndicats nationaux et internationaux dont les unités locales sont affiliées à la FTQ. Les 18 conseils du travail représentent les sections locales sur une base régionale.

La Confédération des syndicats nationaux (CSN)

Effectifs et nature de la centrale

Fondée en 1921, la Confédération des travailleurs catholiques du Canada (CTCC) a pris le nom de Confédération des syndicats nationaux en 1960. La CSN regroupe environ 211 810 membres; elle est donc la deuxième centrale en importance au Québec. Quelques syndicats possèdent une charte directe de la centrale.

La CSN regroupe neuf fédérations professionnelles: la Fédération des affaires sociales (FAS); la Fédération du commerce; la Fédération nationale des enseignants et des enseignantes du Québec (FNEEQ); la Fédération des professionnels et professionnelles salariés(es) cadres du Québec; la Fédération des employés de services publics (FESP); la Fédération nationale de la métallurgie; la Fédération nationale des communications; la Fédération des travailleurs du papier et de la forêt; la fédération CSN-construction.

Sur le plan régional, les syndicats locaux sont regroupés dans 22 conseils centraux, qui offrent des services à 14 regroupements territoriaux distincts[8]. Parfois, un seul conseil central couvre un territoire donné (Montréal, Sept-Îles, Laurentides, etc.); parfois,

FIGURE 2.2

Structures de la CSN

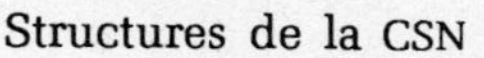

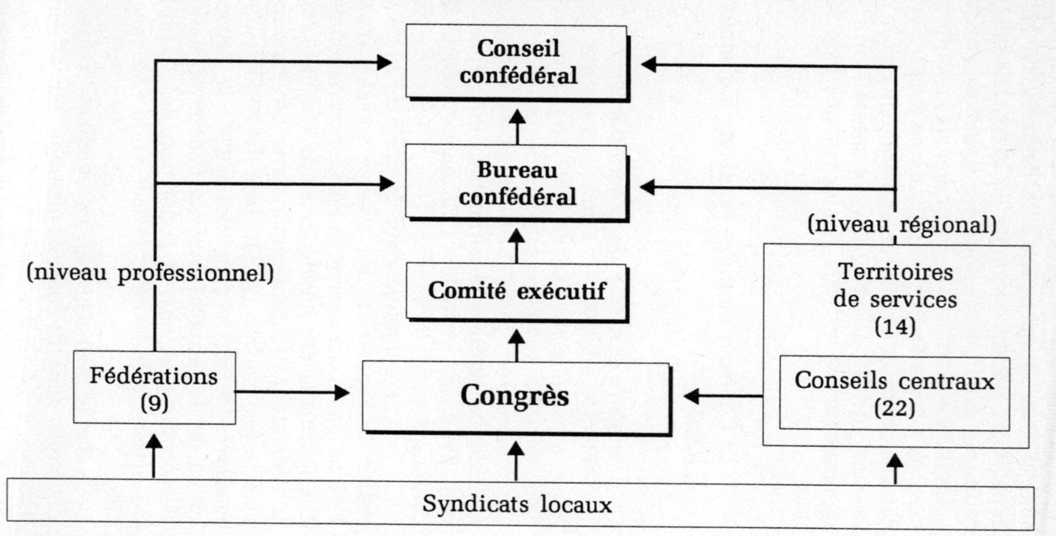

Légende → : Provenance de la composition

plusieurs conseils centraux se regroupent pour offrir des services à un territoire, comme c'est le cas pour les conseils centraux de Shawinigan, de Trois-Rivières, de Drummondville et des Bois-Francs dans la région du centre du Québec.

Structures

Le congrès est l'instance suprême de la CSN. Il se réunit tous les deux ans et mobilise environ 1500 délégués élus par les membres des syndicats, des fédérations et des conseils centraux. Chaque syndicat a le droit à au moins un délégué. Lorsque ses effectifs dépassent 150 membres, il a droit à un deuxième délégué et toute tranche additionnelle de 200 membres permet d'ajouter un délégué. Chaque fédération et chaque conseil central ont droit à trois délégués et les six membres de l'exécutif de la centrale sont délégués d'office.

Le conseil confédéral représente l'autorité suprême de la CSN entre les congrès. Composé de 200 membres provenant à part égale des fédérations et des conseils centraux, il regroupe également les 50 membres du bureau confédéral; cette dernière instance est formée des membres du comité exécutif, de délégués des fédérations, des conseils centraux, du Syndicat des travailleuses et travailleurs de la CSN, des responsables des services de la CSN, du contrôleur et du comptable. Le bureau surveille notamment l'administration du Fonds de défense professionnelle. Enfin, le comité exécutif est formé des personnes occupant les postes de la présidence, du secrétariat général, des trois vice-présidences et de la trésorerie.

Les personnes suivantes se sont succédé à la présidence de la CSN: Roger Mathieu (1960-1961), Jean Marchand (1961-1965), Marcel Pepin (1965-1976), Norbert Rodrigue (1976-1982). Donatien Corriveau (1982-1984) et Gérald Larose (1984-   ).

La Centrale de l'enseignement du Québec (CEQ)

Effectifs et nature de la Centrale

En 1972, la CEQ devient la Centrale de l'enseignement du Québec. Troisième centrale en importance au Québec, elle regroupe plus de 103 000 travailleurs, dont 11 000 retraités de l'enseignement, et 9400 salariés qui ont conclu une entente de service avec elle sans y être affiliés ainsi que 11 100 membres en cartel de négociation avec elle. De centrale travaillant exclusivement dans le domaine de l'éducation, la CEQ a accédé au statut de centrale à vocation générale, aidant des infirmières, des travailleurs du loisir et de la radio-télédiffusion à s'organiser.

La CEQ regroupe les organisations suivantes: la Fédération des enseignantes et enseignants de commissions scolaires; la Fédération des enseignantes et enseignants de cégeps; la Fédération des professeurs et chargées de cours des universités; la Fédération du personnel des établissements de loisir; la Fédération du personnel des établissements privés d'enseignement; la Fédération des professionnelles et professionnels des collèges et universités; la Fédération des professionnels et professionnelles de l'éducation du Québec; la Fédération du personnel de soutien; la Fédération du personnel de santé et des services sociaux; le Syndicat des employés en radio-télédiffusion; l'Union québécoise des infirmières et infirmiers; l'Association des retraitées et retraités de l'enseignement du Québec.

Structures

Le congrès général est l'instance suprême de la CEQ. Il se réunit tous les deux ans, regroupant 900 délégués provenant des syndicats, des associations et des fédérations. Le conseil général gouverne la centrale entre les congrès; il est formé des membres du

FIGURE 2.3

Structures de la CEQ

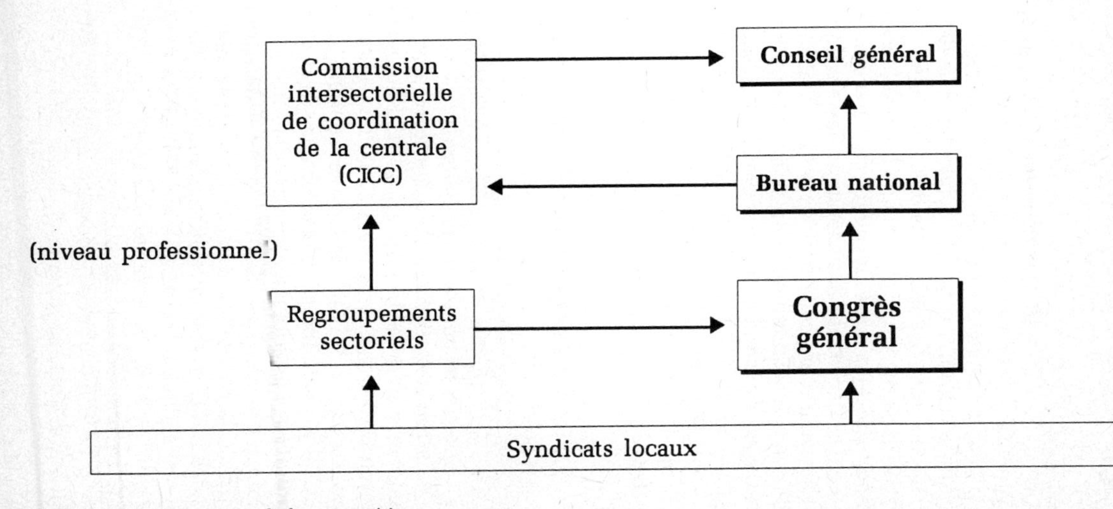

bureau national, des membres de la Commission intersectorielle de coordination de la Centrale (CICC), des personnes déléguées des syndicats et des associations affiliés, soit environ 250 membres. Le bureau national se réunit au moins une fois par mois et voit à l'expédition des affaires courantes; il est formé de sept membres élus par le congrès à la présidence, aux cinq vice-présidences et au poste de secrétariat et de trésorerie. La CICC a un rôle consultatif et de coordination auprès des instances décisionnelles; elle est formée de la personne qui occupe la présidence de la centrale, de deux autres membres du bureau national, de deux délégués de la Fédération des enseignantes et enseignants de commissions scolaires et de délégués des associations et autres fédérations. Depuis qu'elle est devenue la Corporation des enseignants du Québec, en 1966, la CEQ a connu les présidences de Raymond Laliberté (1966-1970), de Yvon Charbonneau (1970-1978 et 1984-1988), de Robert Gaulin (1978-1984) et de Lorraine Pagé (1988-).

La Centrale des syndicats démocratiques (CSD)

Effectifs et nature de la Centrale

La fondation de la CSD a été le résultat d'une scission au sein de la CSN en 1972. Elle regroupe environ 60 000 membres, dont 12 090 travailleurs de la construction; à l'intérieur de la Centrale, chaque syndicat y est autonome. La moitié des syndicats sont regroupés à l'intérieur de trois fédérations: la Fédération nationale des travailleurs de l'industrie du vêtement, la Fédération démocratique de la métallurgie, des mines et des produits chimiques et la Fédération canadienne des travailleurs du textile. Mais un peu plus de 50 % des salariés de la CSD font partie de syndicats non fédérés, regroupés à l'intérieur de sept secteurs réunis: affaires sociales; agro-alimentaire; bâtiment et bois; commerce et établissements finan-

Structures de la CSD

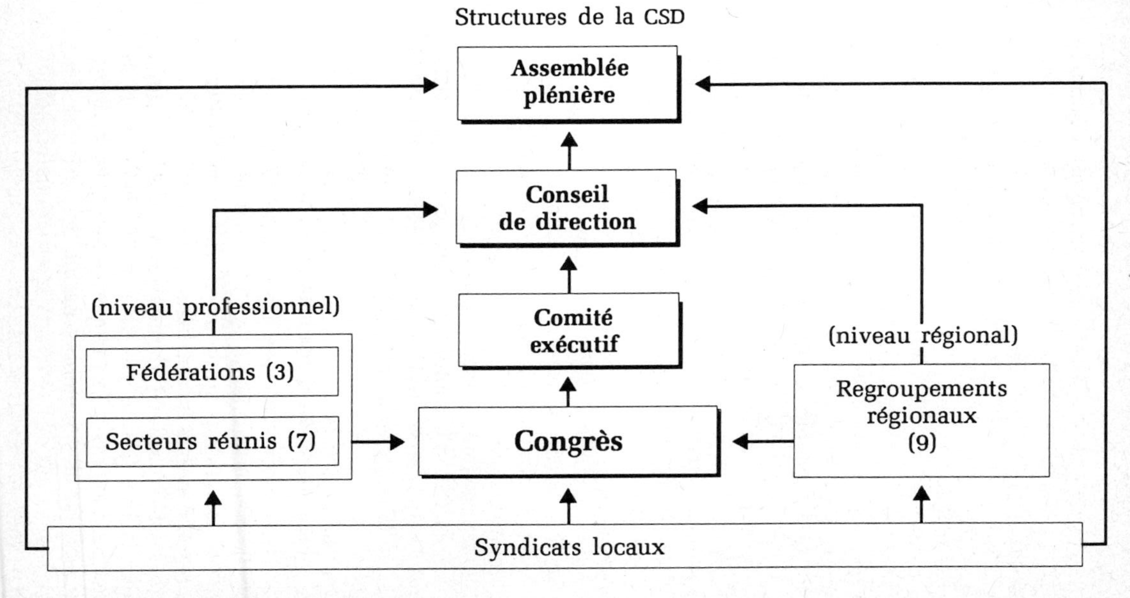

Légende → : Provenance de la composition

cicro; construction; papier et carton; public et parapublic.

La CSD assure les services professionnels à ces syndicats; ceux-ci sont également réunis en neuf regroupement régionaux.

Structures

Le congrès est l'instance suprême de la Centrale. Près de 1000 délégués proviennent des syndicats locaux et des fédérations. Les membres du conseil de direction sont délégués de plein droit au congrès; l'assemblée plénière se réunit annuellement afin de voir à l'application des orientations décidées par le congrès. Environ 540 délégués des syndicats et des fédérations y assistent; le conseil de direction est formé des membres du comité exécutif, d'un représentant de chaque fédération, de chacun des «secteurs réunis», de chacune des régions et du personnel de la Centrale. Ce conseil est un organisme de coordination et d'administration qui relève du comité exécutif; il administre, notamment, le Fonds de solidarité de la Centrale. Enfin, le comité exécutif est formé de quatre membres élus par le congrès: le président, le vice-président, le secrétaire et le trésorier. Jusqu'ici, la CSD n'a connu que trois présidents: Paul-Émile Dalpé (1972-1981), Jean-Paul Hétu (1981-1989) et Claude Gingras (1989-).

La Fédération canadienne du travail (FCT)

Au Québec, les syndicats internationaux sont pour la plupart affiliés à la FTQ. Cependant, depuis 1982 plusieurs ont quitté la centrale pour fonder la nouvelle Fédération canadienne du travail. Comment cela s'est-il produit? Depuis les révélations de la commission Cliche sur le syndicalisme dans la construction (1974), la FTQ permettait à ses syndicats de recruter des membres parmi des métiers déjà représentés par des syndicats internationaux, notamment chez les électriciens. Or, lorsque le Syndicat international des électriciens demanda au CTC d'expulser les syndicats en question, dont les membres ne se recrutaient qu'au Québec, le CTC refusa, ce qui provoqua, en 1981, le départ de 14 syndicats internationaux regroupant 230 000 membres. L'année suivante, 10 de ces syndicats formaient la nouvelle Fédération canadienne du travail, entièrement dirigée par les syndicats américains.

Au Québec, la FCT rassemble plus de 16 000 membres de syndicats de la construction, regroupés au sein du Conseil provincial du Québec des métiers de la construction (CPQMC) (anciennement de la FTQ), composé des 30 sections locales de 13 associations internationales. Un bureau des agents d'affaires des syndicats internationaux dirige la centrale, dont le congrès a lieu tous les quatre ans. La FCT ne joue pas le rôle d'une centrale syndicale, car elle ne cherche pas à représenter les travailleurs face à l'État québécois; elle est plutôt un regroupement régional et professionnel de travailleurs de la construction.

La Confédération des syndicats canadiens (CSC)

En 1968, Kent Rowley, un militant bien connu au Québec pour avoir conduit les célèbres grèves du syndicat du textile (1946 et 1952), fonda la nouvelle Confédération des syndicats canadiens. Le but de Rowley était de contrer l'hégémonisme des syndicats américains sur le mouvement ouvrier canadien. La grande majorité des syndicats de la CSC, qui ne possède que 30 000 membres, se retrouvent en Ontario et en Colombie-Britannique. Au Québec, l'Association canadienne des employés de communications et travailleurs connexes, le Syndicat des contrôleurs de circulation ferroviaire, les Travailleurs unis du pétrole du Canada et le Syndicat canadien des télécommunications transmarines en font partie.

Aujourd'hui, environ le quart des syndiqués sont membres d'un syndicat indépendant, soit 249 019 travailleurs et travailleuses. Qu'entendons-nous par «syndicat indépendant»? Avec Gérard Dion, nous pouvons dire qu'un syndicat est indépendant lorsqu'il n'a aucun lien avec une fédération ni avec une centrale syndicale. Cependant, la réalité des syndicats indépendants est bien différente selon qu'il s'agit d'un petit syndicat local ou d'une section locale du puissant Syndicat des fonctionnaires provinciaux du Québec (SFPQ). Depuis 1971, le nombre de membres de syndicats indépendants a plus que triplé au Québec, passant de 74 323 à 249 019 membres.

TABLEAU 2.5

Évolution des effectifs et de la part procentuelle des syndicats indépendants sur l'échiquier syndical québécois

Années	Effectifs	%
1971	74 323	10,0
1974	115 575	13,9
1977	136 551	16,1
1982	204 819	24,4
1985	213 260	25,9
1988	246 585	25,8
1990	249 019	22,2[1]

Sources: Gilles Fleury, «Un portrait du syndicalisme indépendant», *Le Marché du travail*, septembre 1988, p. 66. [1] France Racine, «La syndicalisation au Québec en 1990», *Les Relations du travail en 1990*, encart dans *Le Marché du travail*, décembre 1990, p. 25.

Les syndicats de fonctionnaires provinciaux

Nous avons regroupé dans cette catégorie les syndicats de travailleurs et de travailleuses à l'emploi de l'État ou des établissements du secteur public, tels les hôpitaux, etc. Dans le cas de la fonction publique, la Loi de la fonction publique a mis en place un régime particulier d'accréditation et de négociation en 1965, remplaçant la Loi du service civil de 1943 et la Loi des différends entre les services publics et leurs salariés. À cette occasion, le gouvernement Lesage accorda le droit de grève (31 janvier 1966) aux fonctionnaires, sauf aux agents de la paix. Avant 1964, les salariés de l'État, fonctionnaires ou ouvriers, n'avaient ni le droit de se syndiquer ni, *a fortiori*, celui de faire la grève.

On peut faire remonter l'organisation du SFPQ à l'année 1961, lorsqu'un petit groupe de fonctionnaires provinciaux de Montréal forma une section locale et obtint de la CSN une entente de service. Quand la centrale réclama le droit d'association pour les employés de l'État, Jean Lesage lança la célèbre repartie: «La reine ne négocie pas avec ses sujets.» Avec le Code du travail de 1964, le gouvernement libéral reconnut cependant à ses employés le droit de s'organiser et de négocier. Le Syndicat dut affronter le Conseil général des employés du gouvernement, une sorte de club social qui existait depuis 1944 et qui prétendait regrouper les fonctionnaires sur une base syndicale; un référendum confirma la victoire du SFPQ et son adhésion à la CSN (novembre 1964).

Au cours de la grève du premier front commun (1972), le SFPQ prit ses distances de la CSN, après que la loi 19 eut interdit la grève aux employés de l'État. Retournant négocier seul avec le gouvernement, le SFPQ s'isola de la centrale et acquit son indépendance. Fort de ses 45 000 membres regroupés en 12 régions et 173 sections locales autonomes, il poursuivit ses efforts en vue de revaloriser les fonctionnaires de l'État. Le SFPQ n'hésita pas alors à faire front commun avec les grandes centrales, tout en maintenant farouchement son indépendance, comme ce fut le cas en avril 1991, à l'occasion de l'entente historique sur le gel des salaires avec le ministre Johnson, président du Conseil du Trésor.

Le Syndicat de professionnelles et professionnels du gouvernement du Québec (SPPGQ) représente

12 000 professionnels à l'emploi du gouvernement. Également formé par la CSN (1966), il s'en désaffilia (1977) au cours d'une crise qui vit la Fédération des professionnels salariés et cadres de la CSN perdre les deux tiers de ses membres.

Fondée en 1947, la Fédération des employés municipaux et scolaires du Québec (FEMSQ) portait le nom de Fédération nationale des employés municipaux du Canada et elle faisait partie de la CTCC, aujourd'hui la CSN. Elle se désaffilia de cette dernière (1960) et elle poursuivit son travail d'organisation syndicale dans les commissions scolaires et les municipalités du Québec, forte de ses 10 000 membres répartis dans 120 syndicats.

La Fédération des infirmières et infirmiers du Québec (FIIQ) a connu une histoire houleuse. Elle est le produit de la fusion (2 décembre 1987) du Syndicat professionnel des infirmières et infirmiers du Québec (SPIIQ), de la Fédération québécoise des infirmiers et infirmières (FQII) et de la Fédération des infirmiers et infirmières unis (FIIU). Elle regroupe aujourd'hui 41 000 membres environ, répartis dans 45 syndicats affiliés, et elle représente des infirmières et des infirmiers de 428 établissements du réseau des affaires sociales du Québec.

La FIIQ s'est particulièrement illustrée en 1989, au cours du conflit qui l'a opposée au gouvernement de Robert Bourassa. En effet, sous la dynamique présidence de Diane Lavallée, la FIIQ s'est attiré l'appui du public quand les infirmières ont refusé de faire du travail supplémentaire pour appuyer leurs revendications salariales (dont un rattrapage de 21,5 % pour 1989). Les membres de la FIIQ se sont montrées particulièrement militantes à cette occasion, rejetant une première entente de principe et déclenchant une grève générale illimitée (5 septembre 1989), entraînant la mise en application des sanctions prévues par la loi 160: fortes amendes, perte d'une année d'ancienneté pour chaque jour de grève, suspension de la retenue syndicale à la source, etc. La FIIQ réussit à aller chercher de fortes hausses salariales pour ses membres, mais elle ne put faire lever les sanctions de la loi 160, bien que tout indique que le gouvernement y consentira afin de rétablir la paix sociale et la productivité dans les hôpitaux.

Les syndicats de policiers

En vertu du Code du travail, les policiers ne peuvent être membres d'une centrale syndicale; les policiers municipaux, par exemple, ne peuvent être membres d'une association de salariés qui ne soit pas formée exclusivement de policiers municipaux. Toute grève leur est interdite et les différends sont soumis à un tribunal d'arbitrage, dont la décision est exécutoire.

La Fraternité des policiers de la Communauté urbaine de Montréal (FPCUM) est l'héritière de la Fraternité canadienne des policiers, fondée en 1944. C'est après l'intégration des forces policières de l'île de Montréal que la FPCUM s'est formée (25 septembre 1974). Forte de 4400 membres, la Fraternité fait partie de la Fédération des policiers du Québec.

Aux côtés de la Fédération, une autre organisation provinciale de policiers existe: l'Association des policiers provinciaux du Québec, qui compte les 4300 membres de la Sûreté du Québec, soumis à la Loi concernant le régime syndical applicable à la Sûreté du Québec (1968). La Fédération, elle, regroupe 8336 policiers répartis en 151 fraternités à travers la province. Les syndicats de policiers défendent leurs membres, mais ils sont totalement absents des grands débats de société en raison des limitations sévères que la loi leur impose.

Les syndicats de pompiers

Les pompiers de Montréal ont longtemps fait partie de l'Association internationale des pompiers et ils étaient affiliés au CMTM, puis au CTM de la FTQ. En 1974, cependant, ils décidaient de s'en désaffilier et de former un syndicat indépendant, l'Association des pompiers de Montréal, forte de 1700 membres. Sur le plan provincial, le Syndicat des pompiers du Québec effectue en 1978 la même démarche et quitte l'Association internationale; il regroupe près de 1600 pompiers répartis dans 48 sections locales.

Les syndicats de fonctionnaires fédéraux

Les grands syndicats canadiens indépendants du secteur public regroupent les travailleurs de chaque province, un peu comme le SFPQ au Québec. On retrouve toutefois au Québec des sections locales des syndicats suivants: l'Institut professionnel de la fonction publique du Canada, l'Association des officiers des Postes du Canada, l'Association canadienne des pilotes de lignes aériennes, l'Association canadienne de contrôle du trafic aérien et l'Association canadienne des employés de téléphone.

Les syndicats du secteur privé

Enfin, il y a beaucoup de syndicats indépendants dans le secteur privé. Remarquons la présence de tels syndicats chez les professeurs d'université, qui envisagent cependant de se regrouper en une seule fédération reliée à la CSN. Le Syndicat des ingénieurs d'Hydro-Québec (1130 membres), l'Association des employés de Molson (914 membres) et le Syndicat des employés de soutien de l'Université Laval (336 membres) des exemples de ce genre de syndicat.

LA NATURE DU SYNDICALISME QUÉBÉCOIS

Ce tour d'horizon du syndicalisme québécois serait incomplet sans une analyse de ses caractéristiques particulières, de ce qui le distingue du syndicalisme nord-américain, voire canadien. Bien entendu, les syndicats québécois sont des organisations de même nature que les syndicats américains ou canadiens. Ici comme ailleurs, les syndicats tentent d'augmenter les salaires de leurs membres et d'améliorer leurs conditions de travail aux dépens de l'employeur, tout en cherchant à démocratiser les lieux de travail; ici comme ailleurs, les syndicats canalisent les frustrations des travailleurs dans un système régulatoire et contribuent à l'augmentation de la productivité dans l'entreprise en favorisant une baisse du roulement du personnel, une meilleure performance managériale, une diminution du coût d'engagement de la main-d'œuvre ainsi que de l'instauration de communications meilleures entre les travailleurs et la direction, même au détriment du coût salarial plus élevé pour l'employeur.

Malgré la présence des syndicats catholiques, le syndicalisme québécois a massivement adopté les mêmes modes de comportement que les syndicats américains: mêmes façons de regrouper les travailleurs métier par métier, puis entreprise par entreprise, avant d'en arriver à la négociation d'ententes sectorielles, voire nationales; rejet de l'action politique autonome des travailleurs; même cadre légal, à toutes fins utiles, bien que le Québec se distingue des États-Unis par une législation sociale plus avancée. Cependant, le taux de syndicalisation diminue dramatiquement aux États-Unis, tandis qu'il est en légère augmentation au Québec; de plus, l'environnement sociopolitique est radicalement différent entre une province acquise à l'État-providence et un pays qui sort à peine de la révolution reaganienne.

Au pays, le syndicalisme québécois participe au même système légal de relations de travail que ses frères des autres provinces: cadre fédéral, comme nous l'avons vu, dans lequel les provinces ont une autorité dominante. Les syndicats nationaux et internationaux de la FTQ, principale centrale syndicale québécoise, adhèrent pour la plupart au CTC, la grande centrale syndicale qui regroupe les travailleurs des 10 provinces canadiennes. Ici, comme en Ontario, les syndicats nationaux et internationaux cohabitent et mènent les mêmes combats au sein d'une grande fédération provinciale qui les unit, même si parfois l'un ou l'autre de ces syndicats sent le besoin de rompre son affiliation internationale. Ici, comme en Colombie-Britannique, la fédération provinciale donne son appui, lors des élections fédérales, au Nouveau Parti démocratique, porte-parole de la social-démocratie au Canada; mais cela pourrait changer dans un avenir rapproché si la FTQ décidait d'appuyer le Bloc québécois, par exemple. En somme, au Québec comme dans les autres provinces canadiennes, les taux de syndicalisation sont les mêmes, toutes proportions gardées, et les grandes tendances telles la montée des syndicats indépendants, la lutte contre le libre-échange (sauf la CSD, comme nous le verrons plus loin), les batailles pour l'équité salariale et pour l'aménagement des changements technologiques sont identiques.

Il existe pourtant des différences significatives entre le mouvement syndical québécois et le mouvement syndical canadien. Au premier chef, il convient d'insister sur le pluralisme syndical qui caractérise la situation québécoise; dans le reste du pays, le CTC exerce un quasi-monopole syndical, regroupant l'immense majorité des travailleurs syndiqués de chaque province, à l'exception des syndicats indépendants et de quelques membres des nouvelles petites centrales telles que le CSC et la FCT. Au Québec, la CSN, la CEQ et la CSD jouent effectivement le rôle de centrales syndicales et menacent l'hégémonie de la FTQ dans des secteurs importants de l'activité économique. C'est une des deux principales caractéristiques du syndicalisme québécois.

La seconde particularité, et non la moindre, est que le mouvement syndical s'est prononcé favorablement pour l'indépendance du Québec. La FTQ appuie le Parti québécois et la souveraineté-association depuis les années 70, même si elle soutient le NPD à l'échelon fédéral. La CSN vient d'adopter, au cours de son 55e congrès (1990), une position claire prônant l'indépendance du Québec et «la plénitude de sa souveraineté aux plans politiques, culturels, économiques et sociaux». La CEQ, également (1990), décide de «militer en faveur de l'indépendance nationale du Québec» et «pour l'adoption d'une constitution québécoise démocratique et progressiste». La CSD, quant à elle, refuse jusqu'à maintenant de s'engager sur le terrain politique et se cantonne dans la neutralité face à la question nationale, tout en demeurant fort active sur le terrain de la francisation des entreprises. Mais les trois plus grandes centrales du Québec appuient l'indépendance du Québec, et cet appui s'est concrétisé après l'échec de l'Accord du lac Meech et la formation subséquente de la commission Bélanger-Campeau sur l'avenir constitutionnel du Québec: Lorraine Pagé (CEQ), Gérald Larose (CSN) et Louis Laberge (FTQ) y ont représenté le mouvement syndical et y ont fait valoir les positions nationalistes, faisant alliance avec le Parti québécois, le Bloc québécois, l'UPA et l'Union des artistes. Il ne fait donc aucun doute que les centrales syndicales seront fort actives dans le débat autour de l'avenir national du Québec.

En résumé, non seulement le syndicalisme québécois est pluraliste et indépendantiste, mais il est tout aussi social-démocrate et militant qu'il l'est dans le reste du pays; il représente une force sociale avec laquelle il faut compter, car il rassemble 4 travailleurs sur 10 et ses actions ont des répercussions sur l'ensemble des travailleurs quand il obtient une hausse du salaire minimum, un changement dans la Loi sur les normes du travail ou une loi sur l'assurance-automobile qu'il revendiquait depuis fort longtemps. Enfin, il se démarque des autres syndicats canadiens par l'appui au nationalisme québécois et par l'existence d'une variété d'organisations syndicales qui représentent les travailleurs auprès des employeurs et des pouvoirs publics.

NOTES

[1] Voir en annexe la liste des principales lois du travail au Canada et au Québec concernant la reconnaissance syndicale.

[2] *Code canadien du travail*, S.R.C. 1985, chap. L-2 modifié.

[3] *Toronto Electric Commissioners* c. Snider, 1925, A.C. 396.

[4] S.Q. 1924, c. 112.

[5] L.Q. 1985, c. 12.

[6] Jacques Rouillard, «Le mouvement syndical», *in* Denis Monière, dir., *L'Année politique au Québec, 1988-1989*, Montréal, Québec/Amérique, 1989, p. 141-149.

[7] La revue *Le Marché du travail* a produit une analyse détaillée des structures syndicales québécoises dans son numéro d'août 1990, dont nous nous inspirons largement ici. Des suppléments d'information ont été ajoutés grâce à la consultation des documents des centrales.

[8] CSN, *Propositions générales telles qu'adoptées au 55e congrès de la CSN, qui s'est tenu à Montréal du 5 au 11 mai 1990, et au conseil confédéral de la CSN à Montréal, le 8 juin 1990*, p. 17-18.

CHAPITRE 3

Les défis et les nouvelles approches de l'action syndicale

La période actuelle est marquée par de profonds changements qui touchent toutes les dimensions du travail et, partant, toutes les dimensions de l'action syndicale. La mondialisation des marchés, le libre-échange canado-américain et la possible intégration du Mexique dans l'économie nord-américaine, les changements technologiques rapides, les futurs bouleversements du marché canadien dans un contexte de remise en question du fédéralisme, tout a des effets profonds sur la structure et la composition de la main-d'œuvre ainsi que sur l'évolution des relations de travail.

Ainsi, depuis 1981, la quasi-totalité des nouveaux emplois au Canada ont été créés dans le secteur des services, qui représente aujourd'hui plus de 70 % des emplois, alors que le secteur manufacturier n'en compte plus que 17,3 %. En 1951, 70 % des salariés au Québec occupaient un emploi régulier à plein temps, contre 50,3 % en 1986; de plus, 43,8 % des travailleurs n'ont travaillé que sur une base occasionnelle en 1986[1]. Enfin, la place des femmes dans la main-d'œuvre active s'est accrue, passant de 27,3 % en 1951 à 42 % en 1986[2]. En somme, la tertiarisation, la précarisation et la féminisation du marché du travail sont les tendances principales de l'économie québécoise, canadienne et américaine depuis quelques décennies; de plus, la plupart des emplois sont maintenant créés par de petites entreprises: plus des trois quarts des emplois au Québec sont aujourd'hui créés par des entreprises de 50 employés ou moins.

Ces nouvelles données compliquent la situation des organisations syndicales. Aux États-Unis, le taux de syndicalisation chute dramatiquement depuis la fin des années 50, passant de 35 % à 19 % de la main-d'œuvre active totale. Au Québec, les organisations syndicales semblent s'être mieux adaptées, mais les défis sont immenses et il est loin d'être acquis que 40 % des travailleuses et des travailleurs québécois seront syndiqués en l'an 2000. Examinons de plus près les principaux défis que doit relever le syndicalisme québécois et les solutions qu'il devra envisager dans ce contexte de profonds changements.

LES CHANGEMENTS TECHNOLOGIQUES

Il suffit d'évoquer les changements technologiques pour que les images du passé surgissent à nouveau: le machinisme en Angleterre au XVIIIe siècle; la chaîne de montage de Henry Ford dans l'industrie automobile; le remplacement du moteur à combustion par le diesel. De nos jours, la robotique, la conception et la fabrication assistée par ordinateur (CAO-FAO) et, en général, les prodigieux développements de l'informatique et de la bureautique, sans compter les biotechnologies, permettent d'accélérer le travail, d'économiser l'énergie, de rationaliser la production et de rendre le travail beaucoup plus flexible qu'il ne l'a jamais été.

Cependant, les changements technologiques ont des effets contradictoires; s'ils peuvent réduire les tâches manuelles répétitives et dangereuses, ils peuvent aussi contribuer à déqualifier bon nombre de tâches, à accroître la surveillance des travailleurs, à accélérer les cadences de travail et à faire apparaître de nouveaux problèmes liés à la santé et à la sécurité au travail. De plus, les changements technologiques modifient l'organisation du travail; la nouvelle technologie permet la circulation rapide de l'information et la création de postes de travail décentralisés. Le travail à distance (par exemple, à la maison), le travail à temps partiel, le recours aux contractuels, l'étalement des heures de travail sur des horaires plus souples, tout cela participe désormais de notre paysage industriel.

Les répercussions de ces changements pour les travailleurs et leurs syndicats sont évidentes. Dans certains cas, les emplois sont menacés et les travailleurs doivent se recycler; dans d'autres, toute l'organisation du travail est bouleversée: la répartition des postes, la description des tâches, les méthodes de gestion de l'entreprise, le réaménagement du milieu de travail lui-même. Historiquement, les syndicats se sont souvent opposés au principe même des changements technologiques. Mais aujourd'hui les syndicats tendent de plus en plus à les accepter, tout en cherchant à minimiser leur incidence sur les travailleurs.

Oui aux changements technologiques...

Les centrales s'entendent maintenant pour reconnaître la nécessité des changements technologiques. Pour la FTQ, «[...] la modernisation de notre infrastructure de production est nécessaire[...]» et «refuser les changements technologiques n'est pas [...] une solution à l'épineux problème de l'emploi[3]». Toutefois, la CSN souligne que:

> Depuis l'avènement de la société industrielle, la technologie a été mise au service du capital. L'histoire du développement de la technologie pour le patronat a été celle de l'augmentation de la productivité dans le but de faire plus de profits dans le contexte de la concurrence capitaliste[4].

De ce fait, la CSN est aussi préoccupée par l'inégalité du développement technologique, laquelle est manifeste dans de nombreuses entreprises, incapables d'améliorer la productivité de leurs installations. L'exécutif de la centrale va jusqu'à déplorer que « les machines-outils à commande numérique ne totalisent que 4,4 % du stock canadien de machines-outils en 1983, contre 38,1 % au Japon et 12,9 % aux États-Unis[5]».

...attention aux effets négatifs!

Les effets négatifs des changements technologiques ont été désignés. Ainsi, la CSD est préoccupée par les suppressions d'emplois dans les entreprises utilisatrices de nouvelles techniques, soutenant que «pour un(e) travailleur (euse) sur 5 touché(e)s directement, la technologie nouvelle c'est perdre son emploi[6]». Certaines catégories d'emplois sont plus touchées que d'autres et, fréquemment, les emplois syndiqués sont particulièrement visés. De plus, les changements technologiques ont une influence sur les conditions de travail; l'écart grandit entre des emplois peu qualifiés et ceux qui exigent un niveau de qualification élevé; le contrôle patronal et la charge de travail augmentent; de nouveaux problèmes de santé — maux de dos, stress, maladies oculaires, etc. — surgissent; et, enfin, le travail précaire se répand.

Les moyens d'action des syndicats

Devant cette situation, les centrales syndicales ont depuis longtemps rejeté une approche strictement négative. Elles concentrent maintenant leurs interventions à la possibilité d'un contrôle des travailleurs sur l'organisation du travail au moyen de la négociation collective. Chaque centrale a des revendications différentes; ainsi, la CSN insiste depuis 1977 sur la création d'une caisse de stabilisation de l'emploi, qui garantirait le revenu des personnes licenciées et qui serait financée en partie par les entreprises qui procèdent à des changements entraînant des mises à pied. La CSN revendique également une révision du Code du travail et de la Loi sur les normes du travail, révision qui aboutirait à une loi-cadre offrant certaines garanties aux travailleurs, syndiqués ou non, et qui permettrait le recours à la grève en cas de changement technologique arbitrairement imposé par l'employeur.

La FTQ, de son côté, préconise la réouverture des conventions collectives de travail et l'exercice du droit de grève pour les syndiqués. Elle demande l'instauration, dans la Loi sur les normes du travail, de mesures protégeant les non-syndiqués ainsi que la mise en place, dans les entreprises, de comités paritaires.

Quant à la CSD, elle se réclame d'une approche originale, axée sur la concertation et la participation des travailleurs aux changements technologiques. Elle préconise la conclusion d'accords locaux sur les changements technologiques, suivis de négociations, mais elle ne prévoit aucun moyen législatif ou autre obligeant les employeurs à signer de tels accords.

La CEQ, enfin, voudrait que le Québec intègre les dispositions du Code canadien du travail dans sa législation, ce qui se manifesterait par l'ajout de droits collectifs nouveaux, l'accréditation multipatronale et l'adoption d'une politique sociale d'informatisation qui verrait à la formation, au recyclage et à la réduction du temps de travail.

En somme, les syndicats rejettent l'approche pessimiste et tentent plutôt de négocier les changements technologiques tout en inscrivant ce droit dans le Code du travail et dans la Loi des normes minimales de travail. Dans ce contexte, la formation professionnelle des membres devient un enjeu décisif et la revendication d'un congé-éducation payé, selon la FTQ, est «l'un des moyens pour faciliter l'accès des travailleurs et des travailleuses à une formation professionnelle large et qualifiante qui aille au-delà de la simple familiarisation avec une nouvelle tâche ou une nouvelle machine[7]».

De son côté, le patronat récuse à l'avance toute ingérence de l'État en matière de changements technologiques, ne lui concédant qu'un rôle de soutien dans la formation et le recyclage de la main-d'œuvre. Le patronat québécois s'est particulièrement opposé aux recommandations de la commission Beaudry, qui proposait, en 1985, d'inscrire dans le Code du travail les droits des syndicats à l'information et au pouvoir de négocier les changements technologiques. Ils ont donc une lutte considérable à mener face à un patronat qui refuse toute atteinte à ses droits de gérance et qui ne considère toujours pas les syndicats comme des partenaires crédibles pour négocier l'implantation des changements technologiques. De toute façon, les syndicats n'ont pas le choix; leur objectif est d'établir la sécurité de l'emploi à l'échelle de l'entreprise, tout en exerçant des pressions sur les pouvoirs publics afin qu'ils établissent les paramètres d'une politique globale de formation de la main-d'œuvre.

LE LIBRE-ÉCHANGE

Signé au début de l'année 1988, l'accord canado-américain sur le libre-échange est entré en vigueur le 1er janvier 1989. Après plus de deux ans d'application de ce traité, quels sont les effets du libre-échange sur l'emploi et les conditions de travail au Québec? Est-il possible de dresser le bilan de l'action syndicale en ce domaine? Et peut-on mesurer l'effet d'un éventuel accord intégrant le Mexique au marché nord-américain?

Selon le ministère du Travail québécois[8], la première année de mise en œuvre de l'accord n'a pas produit de fortes tensions sur notre économie ni entraîné de perturbations importantes de notre système de relations de travail. Déjà, avant l'application de cet accord, 75 % des échanges canado-américains se faisaient en franchise douanière et 50 % des échanges américano-québécois se font avec les États du nord-est des États-Unis, dont les conditions de vie et de travail des habitants sont similaires aux nôtres. Cependant, deux nouveaux éléments augmentent l'incertitude face à la mondialisation des marchés: les accords du GATT (automne 1990), qui entraînent une réduction accrue des barrières douanières et non tarifaires sur les biens et les services, et les négociations entamées en 1991 pour la signature d'un accord de libre-échange entre les États-Unis, le Mexique et le Canada.

Si l'on compare le Québec avec les États-Unis, force est de constater que le Québec «ne présente pas de désavantage compétitif sérieux lorsque l'on considère son système de relations du travail, ses salaires et sa productivité[9]». En effet, le Code du travail québécois et le National Labor Relation Act américain reposent sur des fondements identiques, même si, au Québec, l'accréditation syndicale est plus facile, la retenue syndicale à la source est obligatoire et que des lois existent concernant les mesures anti-briseurs de grève et la cession des entreprises à des tiers. Aux États-Unis, certaines lois sont plus contraignantes pour les employeurs et les conventions collectives contiennent plus de clauses relatives à la protection sociale des travailleurs en raison des lacunes du système social américain. Seul le taux de syndicalisation diffère vraiment, il approche les 40 % au Québec alors qu'il oscille autour de 18 % aux États-Unis. Les raisons de cette différence tiennent pour beaucoup à la syndicalisation massive des employés de l'État au Québec et à l'offensive anti-syndicale généralisée du patronat américain depuis une vingtaine d'années. De plus, la Loi sur les normes du travail est plus globale que le Fair Labor Standard Act américain, c'est-à-dire qu'elle touche plus d'aspects, comme les salaires et les heures de travail, certes, mais aussi les vacances annuelles et le repos hebdomadaire, etc. Quant aux salaires, les études récentes tendent à démontrer que le facteur déterminant est l'incidence du taux de change: en 1988, le salaire hebdomadaire québécois dans le secteur manufacturier était inférieur de 28,31 $CAN au salaire américain; cette différence est passée à environ 1,00 $CAN en 1989 en raison de l'appréciation du dollar canadien. En somme, les salaires québécois sont très près des salaires américains et la productivité des travailleurs québécois est évaluée à 95 % de celle des Américains[10].

Toutefois, le Québec ne dispose d'aucun avantage vraiment significatif sur le plan économique: les entreprises québécoises doivent continuellement rechercher une plus grande efficacité dans l'utilisation des ressources humaines, d'où l'importance d'un climat de relations de travail favorisant l'accroissement régulier de la productivité et de la qualité de la production. Dans ce contexte, donc, les revendications des syndicats doivent s'exprimer.

Les grandes centrales syndicales ont participé à la mise en place d'une coalition québécoise d'opposition au libre-échange, regroupant la FTQ, la CSN et notamment l'UPA. Cette stratégie a complètement échoué, le Québec adhérant plus que toute autre province canadienne au principe du libre-échange. Pour sa part, la CSD est la seule centrale syndicale qui se soit prononcée en faveur du libre-échange: «Stratégie suicidaire», selon Bernard Brody, professeur de relations industrielles à l'Université de Montréal. «La CSD fait école», réplique Michel Grant, professeur de relations industrielles à l'UQAM, qui voit dans les comités patrons-employés d'adaptation de la main-d'œuvre, créés par la CSD dans les entreprises en difficulté, une stratégie d'avant-garde qui permet aux syndicats de s'adapter aux nouvelles réalités plutôt que de maintenir un discours négatif devant les portes closes des usines.

Toutefois, le danger d'un traité de libre-échange avec le Mexique est évident. La FTQ et la CSN s'opposent au projet de continentalisation de la production au profit des grandes corporations nord-américaines et au détriment des travailleurs. La vice-présidente de la CSN, Monique Simard, s'insurgeait récemment[11] contre des fermetures d'usines (au Canada) par des entreprises qui ont ouvert des usines dans les *maquiladoras* mexicaines, ces zones franches à la frontière américano-mexicaine exemptes de normes sur le travail, où le salaire moyen tourne autour de 4 $US par jour. Les syndicats québécois et canadiens doivent donc faire pression pour qu'un éventuel traité force le gouvernement mexicain à adopter une législation qui protège ses travailleurs et qui leur accorde des salaires décents. Au pays, les syndicats doivent rester vigilants et s'engager dans les négociations des modifications à l'organisation du travail de façon à favoriser une plus grande productivité du travail.

LA NÉGOCIATION COLLECTIVE DANS LE SECTEUR PUBLIC

Depuis plus de 25 ans maintenant, la négociation des salaires et des conditions de travail entre les employés du secteur public et l'État s'accompagne de son cortège de grèves et de lois spéciales qui finissent par lasser une opinion publique à l'origine favorable aux travailleurs et aux travailleuses. Aujourd'hui, lorsqu'elle est consultée par sondage, la grande majorité de la population rejette l'exercice du droit de grève dans les hôpitaux, dans l'éducation et dans le transport en commun. Comment en est-on arrivé là? Il n'est pas inutile de revenir en arrière, le temps de constater l'évolution qui s'est faite dans ces négociations et avant de pouvoir désigner les défis contemporains que doit affronter le syndicalisme. C'est l'objectif du tableau 3.1, qui relève, pour chaque ronde de négociations, les objectifs des syndiqués et de l'État de même que les résultats obtenus.

Comme on peut le constater, l'histoire des négociations dans le secteur public québécois est marquée de nombreux conflits, certes, mais surtout d'une continuité dans l'affrontement des parties, au détriment, bien souvent, du public, des prestataires de services, des «bénéficiaires», comme on dit maintenant. Cette situation n'a cessé de s'envenimer jusqu'aux années 80, et les gouvernements, péquiste ou

TABLEAU 3.1

Objectifs des parties et résultats des principales rondes de négociations dans le secteur public québécois (1964-1991)

LES SYNDICATS	L'ÉTAT	LES RÉSULTATS
	I. 1964-1968: le rattrapage	
Les employés de la RAQ, le SFPQ, les employés d'hôpitaux et les enseignants luttent pour un rattrapage salarial: le salaire moyen d'un employé de l'État se situe aux 3/4 du salaire moyen général.	L'État tente de jouer un rôle nouveau: le Code du travail donne le droit de grève. L'assurance-hospitalisation fait de l'État le véritable patron dans les hôpitaux. Difficile coordination des premières négociations: le gouvernement doit traiter avec ses partenaires patronaux. Processus très lent dans le monde scolaire en raison de la décentralisation des négociations précédentes avec 1000 commissions scolaires; la loi 25, en 1967, jette les bases d'une négociation centralisée.	Formule Rand. Certaine sécurité d'emploi. Hausse salariale de 15 % (31 % à la RAQ). Défaite syndicale des enseignants, perte du droit de grève. Première convention collective provinciale. Première convention collective du SFPQ.
	II. 1968-1971: l'État contre les syndiqués désunis	
Les employés de la RAQ font cinq mois de grève. Le SFPQ et le SPPGQ s'entendent avec le gouvernement. Les employés d'hôpitaux veulent la sécurité d'emploi. Les enseignants font des grèves rotatives.	L'État s'affirme comme le véritable employeur. Sa politique salariale n'est pas négociable: augmentation de 15 % sur trois ans. Il refuse le principe d'une table centrale de négociation. Il accepte le principe «à travail égal, salaire égal».	Les employés d'hôpitaux obtiennent la sécurité d'emploi après deux ans.

LES SYNDICATS	L'ÉTAT	LES RÉSULTATS
III. 1972: la politique au poste de commande		
Le premier Front commun: 200 000 membres de la CSN, FTQ et CEQ. Grève générale illimitée. Les présidents appellent à défier la loi. Débrayages spontanés à la suite de la condamnation des présidents. Désaffiliation du SFPQ. Création de la CSD.	Le gouvernement cherche à limiter les hausses salariales et à éviter que le secteur public ne distance le privé dans ce domaine. La loi 19 rend la grève illégale. Condamnation des présidents à un an de prison.	Le Front commun arrache le principe d'une négociation centralisée pour la question salariale. Salaires: un plancher de 100 $ au cours de la dernière année de la convention collective. Clause d'indexation des salaires. Décret pour les enseignants.
IV. 1975-1976: victoire syndicale		
Le Front commun se reforme, 185 000 membres de la CSN, CEQ et FTQ. Les employés d'Hydro et le SFPQ négocient isolément. Grève illimitée dans les hôpitaux.	Loi 253 (services essentiels). Nombreuses poursuites contre les syndiqués qui seront levées par le nouveau gouvernement (Parti québécois). La loi 23 suspend le droit de grève dans le domaine scolaire.	Plancher salarial: 165 $ pour la 3e année de la convention. Congé payé de quatre semaines après un an de service. Tous les groupes obtiennent une clause d'indexation des salaires sur le coût de la vie. Gains des enseignants sur la sécurité d'emploi, limitations du nombre d'enfants par classe, rattrapage salarial.
V. 1979-1980: sous le signe de la désunion		
Front commun des 190 000 membres. Les SFPQ, cartel des organismes de santé (COPS), SPPGQ et employés d'Hydro négocient séparément. La CEQ en grève	Nouveau cadre législatif: loi 55 (trois niveaux de négociation: local, régional, provincial); loi 59 (crée un conseil des services essentiels).	Réduction des écarts entre les hauts et les bas salariés. Indexation des salaires sur le coût de la vie. Hausses salariales de 10 %. Congé de maternité payé de 17 semaines.

LES SYNDICATS	L'ÉTAT	LES RÉSULTATS
V. 1979-1980: sous le signe de la désunion		
pendant 11 jours. La FAS en grève illégale.		La CEQ conclut un accord sur la tâche et la sécurité d'emploi. La FAS obtient le salaire minimum de 265 $ à la fin du contrat de travail (trois ans et demi).
VI. 1982-1983: l'offensive gouvernementale		
Le Front commun de 210 000 travailleurs se recompose, mais l'unité d'action fait défaut. Les infirmières et la FAS retournent au travail. Grève illégale des enseignants en janvier 1983.	Série de lois spéciales: le gouvernement fixe par décret les conditions de travail de 320 000 employés de l'État. Coupure salariale de 21 % de janvier à mars 1983. Modification unilatérale du régime de retraite (perte de 700 millions de dollars pour les travailleurs). Loi 111: retrait du droit de grève, sanctions démesurées, suspension de la Charte des droits et libertés, etc.	Gel salarial, coupures. Pertes dans le régime de retraite. Nombreux reculs syndicaux dans les clauses normatives. Atteinte au droit de négocier et au droit de grève. La tâche des enseignants est alourdie.
VII. 1985-1986: le ressac		
La coalition intersyndicale de 360 000 membres (CSN, FTQ, CSD, CEQ, SFPQ, etc.) ne reforme pas le Front commun: on s'entend sur des objectifs mais pas sur l'action.	Le gouvernement agite le spectre de la privatisation des services sociaux.	Reconduction de plusieurs conventions après de faibles augmentations de salaires et des modifications mineures aux questions normatives.

LES SYNDICATS	L'ÉTAT	LES RÉSULTATS
VIII. 1989: la bataille des infirmières et des femmes en général		
L'équité salariale pour les femmes est revendiquée. La FTQ, la CSD et 11 syndicats indépendants acceptent de prolonger leurs conventions collectives. La CSN, la CEQ, le SFPQ et les professionnels de la santé veulent un rattrapage salarial de l'ordre de 20 à 25 % sur trois ans. Les grèves pendant les élections (automne 1989) indisposent le public.	La loi 58 décrète les conditions de travail à Hydro-Québec. La loi 160 dans le secteur public: sévères sanctions contre la grève: perte de l'ancienneté, renvois, arrêt de la perception des cotisations syndicales.	Règlement mitigé pour tous, excepté pour les infirmières. Augmentations salariales de 4,5 et 4 % pour trois ans.
La FIIQ veut 21 % en 1989. Ses membres refusent d'effectuer les heures supplémentaires, rejettent une entente de principe et débraient illégalement.		La FIIQ obtient un important rattrapage salarial, mais ne peut faire lever les sanctions relatives à la loi 160.
IX. 1991: accord historique		
Les six grands syndicats du secteur public, FTQ, CSN, CEQ, CSD, FIIQ et SFPQ, recommandent le gel temporaire des salaires à leurs membres, contre un réexamen du régime de négociation dans le secteur public.	Le gouvernement propose d'abord un gel des salaires pour un an en raison de la récession. Québec envisage de rendre l'ancienneté aux victimes de la loi 160.	Gel des salaires de six mois assorti d'une hausse de 3 % à la fin de la période. Reprise des négociations Maintien du droit de négocier et du droit de grève.

libéral, ont dû recourir à des lois extrêmement sévères pour faire cesser les grèves illégales dans les hôpitaux et l'enseignement, notamment. Aujourd'hui, tout le monde est unanime: il faut modifier les règles du jeu. Mais de quelle manière?

Des efforts ont été faits dans ce sens: en 1977, le gouvernement créait une commission d'étude et de consultation sur la révision du régime de négociations collectives dans les secteurs public et parapublic, la commission Martin-Bouchard, qui incitait les parties en cause «à adhérer à des règles du jeu minimales de nature à concilier au mieux à la fois les exigences de l'intérêt public et les actions légitimes qui découlent de droits désormais fermement acquis, le droit d'association, et son corollaire, le droit à la libre négociation[12]». On connaît les suites législatives de ce rapport: la Loi sur la fonction publique de 1978; la Loi sur l'organisation des parties, qui confirme, entre autres, le caractère centralisé des négociations collectives et le rôle décisif du Conseil du Trésor à titre de mandataire du gouvernement pour ces négociations collectives; et, enfin, la Loi modifiant le Code du travail, pièce législative majeure, qui fixe le déroulement des négociations, instaure un mécanisme de prévision des services essentiels qui laisse à la partie syndicale le soin d'établir une liste de services essentiels à maintenir en cas de conflit et qui prévoit la création d'un conseil d'information sur les négociations chargé d'informer le public.

Cependant, le gouvernement du Parti québécois dut convoquer la Commission parlementaire du travail, en 1981, sur l'épineuse question de l'exercice du droit de grève dans le secteur public. La loi 72, qui modifiait de nouveau le Code du travail, faisait jouer un rôle déterminant au Conseil des services essentiels, dont les huit membres sont nommés par le gouvernement après consultation des syndicats, des employeurs et des organismes de protection des citoyens. Depuis 1985, le Conseil a reçu de vastes pouvoirs d'intervention en cas de préjudice à l'endroit du public au cours d'un conflit de travail; dans le domaine du transport en commun à Montréal, il a ainsi obligé les parties à assurer le service pendant certaines périodes, tout en autorisant le recours à la grève entre ces périodes et au cours des fins de semaine.

Toujours en 1985, le gouvernement a fait adopter la loi 37, qui impose à un pourcentage minimal de travailleurs de rester à leur poste pendant un conflit de travail. De plus, cette loi modifie substantiellement le processus même de la négociation en permettant au gouvernement de fixer les salaires des employés au cours des deuxième et troisième années de la convention, après qu'un rapport d'une commission indépendante a été déposé, sans que les parties aient le droit de recourir à des moyens de pression. Les syndicats ont dénoncé vivement cette loi, qui imposait également de négocier avec les autorités locales, comme ils ont refusé de participer au conseil d'administration de l'Institut de recherche et d'information sur la rémunération, créé par la loi.

Tout ceci n'empêcha pas le gouvernement, libéral cette fois, d'adopter la loi 160, en 1989, qui supprimait le droit de grève, permettait au gouvernement de modifier le contenu des conventions collectives et prévoyait de sévères sanctions en cas d'infraction: amendes, perte de l'ancienneté, congédiement et suspension de la perception des cotisations syndicales à la source. Ce faisant, le gouvernement de Robert Bourassa poursuivait la tradition établie depuis 1965, alors que pas moins de 30 lois spéciales de retour au travail ont été adoptées par les divers gouvernements pour mettre fin à un conflit, et ce, en dépit des dispositions existantes dans le Code du travail.

En somme, rien n'est réglé dans ce secteur, bien que l'accord récent entre le président du Conseil du Trésor, Daniel Johnson, et les représentants de six grandes organisations syndicales quant à un gel des salaires pour les six premiers mois de l'année 1991 laisse entrevoir des jours meilleurs dans le secteur public. Bien sûr, les syndicats voudraient maintenir le droit à la libre négociation, mais en réclamant la centralisation des négociations avec l'État ils ont eux-mêmes fait ressortir le caractère particulier de celles-ci, alors que l'État, dépositaire du bien commun et de l'intérêt public, est bien plus qu'un simple employeur. La CSN, par exemple, se propose de remettre en question la loi 37 et recherche «une plus grande emprise des travailleuses et des travailleurs sur l'organisation du travail, sur la détermination de leurs conditions de travail[13]». Mais elle est consciente des nouvelles réalités qui conditionnent le travail dans les secteurs public et parapublic: participation croissante des communautés régionales, réforme du réseau de la santé et des services sociaux, volonté d'identification professionnelle des groupes de travailleuses et de travailleurs, saturation du public à l'endroit des grèves, etc. C'est probablement ce qui l'a conduit, elle et les autres organisations syndicales, à accepter l'entente historique d'avril 1991 dans l'espoir que la conjoncture se modifie d'ici la reprise des négociations.

Quoi qu'il en soit, le temps des affrontements généralisés avec l'État semble bien terminé. D'une part, les rattrapages essentiels ont été faits, tant sur le plan des salaires que sur celui des conditions de travail: la sécurité d'emploi (qui peut cependant être remise en question d'une convention à l'autre), le régime de vacances et de congés, les mesures concernant l'équité salariale et les congés de parentalité, qui sont monnaie courante dans le réseau des affaires sociales et de l'éducation, font aujourd'hui l'envie d'une grande proportion de travailleurs du secteur privé. D'autre part, la segmentation du syndicalisme et le désir des travailleurs à la base d'investir dans la création de milieux de travail plus valorisants et plus humains ne sont pas des incitations à la grève générale illimitée contre un employeur avec lequel il faudra bien composer après le conflit, d'autant plus que les durs affrontements des années 80 ont parfois laissé des séquelles difficiles à oublier.

LA BATAILLE DE L'ÉQUITÉ SALARIALE: UN ENJEU MAJEUR POUR LES FEMMES

Depuis le début de années 60, les femmes ont pris une place grandissante dans la main-d'œuvre active et dans les rangs des syndicats québécois. En effet, si les femmes représentaient 31 % de la population active totale en 1967, elles comptaient pour 42,3 % de la main-d'œuvre en 1987 (cette proportion s'établissait à 43,4 % pour le Canada). Une des explications à cette hausse est la croissance de l'activité des femmes mariées sur le marché du travail, qui atteint 57 % en 1987, contre 67 % pour les célibataires.

Cependant, de nombreuses inégalités subsistent encore entre hommes et femmes sur le marché du travail. En général, les femmes gagnent un salaire moins élevé que celui des hommes; elles occupent davantage d'emplois à temps partiel que d'emplois à plein temps et elles n'ont pas aussi facilement accès à des emplois bien rémunérés. Selon l'économiste Diane-Gabrielle Tremblay, les «inégalités se situent à trois niveaux: inégalités dans l'accès à l'emploi [...]; inégalités dans les conditions de travail [...]; et, enfin, inégalités dans les possibilités de carrière ou de mobilité professionnelle[14]».

L'inégalité dans l'accès à l'emploi renvoie à la discrimination dans les définitions de postes par exemple, tandis que l'inégalité dans les conditions de travail concerne les salaires et l'évaluation des tâches. Ainsi, la formulation d'une revendication telle qu'un «salaire égal pour un travail de valeur égale ou équivalente» va plus loin que la simple demande d'un «salaire égal pour un travail égal», laquelle ne signifie pas grand-chose tant que les tâches des femmes différeront de celles des hommes. Comme le signale Monique Simard, vice-présidente de la CSN, «nous nous sommes mises à revendiquer non pas ce que les hommes font, mais la valorisation de ce que nous faisons[15]», ce qui oblige à une réévaluation des tâches dans les garderies, à l'école, à l'hôpital et ainsi de suite; cela implique aussi une vision féministe d'un projet de société.

Quelle est alors la place du syndicalisme dans ce projet? En 1966, les femmes ne comptaient que pour 20,9 % des effectifs syndicaux au Québec, alors qu'en 1985 elles représentaient 37,3 % des syndiqués. Au Canada, parmi les personnes qui travaillaient à plein temps toute l'année, le salaire des femmes ne représentait que 74 % de celui des hommes chez les non-syndiqués, tandis qu'il représentait 85 % de celui des syndiqués. S'il ne fait donc aucun doute que le syndicalisme est un puissant outil de promotion de l'*égalité* salariale, par contre, le grand débat autour de l'*équité* salariale est encore à venir.

On mesurera l'étendue du problème en prenant connaissance du récent jugement du Tribunal canadien des droits de la personne, lequel reconnaît le gouvernement fédéral coupable de discrimination fondée sur le sexe à l'endroit de 50 femmes à son service dans le secteur hospitalier et qui le force à verser 30 000 $ à chacune en guise de compensation. Ce verdict récompense la bataille juridique entreprise il y a 10 ans par l'Alliance de la fonction publique et ses 170 000 membres. Or, 60 000 autres travailleuses, dans ce seul syndicat, sont susceptibles de recevoir de pareilles compensations financières, et l'on peut imaginer le même scénario pour la fonction publique provinciale, le secteur privé, les municipalités, etc. Il y a donc des milliards de dollars en jeu, car il s'agit de redéfinir et de réévaluer la plupart des emplois «féminins» ou à prépondérance féminine.

Le défi du syndicalisme est double: continuer son patient travail de démystification de la définition soi-disant neutre et objective des postes de travail et des qualités requises pour effectuer une tâche et, surtout, faire accepter ces objectifs par la majorité des syndiqués, c'est-à-dire par les hommes. Au Québec, l'article 19 de la Charte des droits et libertés affirme le droit à un salaire égal pour un travail équivalent, ce qui est une position avant-gardiste par rapport au reste du Canada. De plus, depuis 1982, la Charte dote les tribunaux du pouvoir d'imposer des programmes d'accès à l'égalité dans les entreprises. La Commission des droits et libertés peut obliger employeurs et syndicats à agir pour modifier une situation discriminante. On a même vu des cas, comme ceux de l'entreprise Cegelec ou de la papetière Kruger, où les syndicats ont dû réparer respectivement la moitié et les deux tiers des dommages causés aux femmes victimes de discrimination[16].

Pour Hélène David, de l'Institut de recherche appliquée sur le travail (IRAT), les syndicats doivent se doter d'un plan d'action à trois volets; ils doivent faire reconnaître explicitement par la Commission des droits le rôle du syndicat dans toute politique d'équité de l'entreprise; face aux employeurs, les syndicats doivent conclure un accord général sur la discrimination, comme l'a fait le Syndicat canadien de la fonction publique avec le Conseil du Trésor[17], faire adopter un plan d'accès à l'égalité (discrimination positive), faciliter l'accès des femmes à tous les emplois, réévaluer chacune des fonctions et augmenter les salaires des femmes, etc. Mais ils doivent également expliquer ces mesures à leurs membres et, afin de bâtir la solidarité entre les hommes et les femmes, sortir du faux débat opposant l'ancienneté (plus souvent cumulée par les hommes) au droit à l'égalité pour les femmes, et envisager ce problème de l'ancienneté comme un instrument adaptable aux objectifs d'équité qu'un syndicat établit démocratiquement.

Il restera encore aux syndicats à régler un autre problème, interne celui-là. Nous voulons parler de la présence des femmes dans les instances décisionnelles des syndicats. Au cours de son congrès de 1989, la FTQ a entrepris une réflexion intéressante à ce sujet, elle a constaté que 30 % de ses membres sont des femmes; elles n'occupent pourtant que 26 % des postes dans les comités (en excluant les comités de la condition féminine), 25 % des postes de délégués d'atelier mais près de 37 % des postes au bureau de direction de leur syndicat local. Au niveau des instances supérieures, les choses se gâtent: les femmes ne comptent que 20 % des délégués au congrès de 1987, 15 % au conseil général de 1989, 12 % des permanents de la centrale et 18 % des membres du bureau (instance dirigeante de la FTQ entre les congrès), et encore, parce que le congrès de 1987 de la FTQ a décidé de réserver trois postes à des femmes au sein de son bureau[18].

Les obstacles à un militantisme accru des femmes sont connus: difficulté de concilier les tâches syndicales avec le double emploi (au travail et à la maison); attitude sexiste des hommes, qui rejettent les femmes en tant que dirigeantes syndicales, etc. Les syndicats rendent le militantisme des femmes parfois impossible, car, pour faire carrière dans la structure syndicale, il faut cumuler les fonctions, participer à de longs congrès, accepter des déplacements fréquents loin de sa résidence, acquérir une formation en dehors des heures de travail, bref, il faut être disponible, ce qui est presque impossible pour des femmes qui dirigent des familles monoparentales, par exemple, ou qui assument les tâches ménagères à la maison.

La démission de Catherine Loumède à la tête de la Fédération des affaires sociales de la CSN (90 000 membres), en novembre 1991, a également posé le problème d'un «masculinisme syndical», que la dirigeante syndicale identifiait à une certaine attitude dogmatique et gauchiste au sein de la Fédération. Rejetant le recours à la grève illégale dans les hôpitaux, Catherine Loumède allait à contre-courant au sein d'une fédération réputée pour son radicalisme. Lorraine Pagé, première femme à accéder à la présidence d'une centrale syndicale au Québec, en l'occurrence la CEQ, dénonce de son côté le «modèle masculin de l'exercice du pouvoir» dans les syndicats: «Une personne qui sait tout, contrôle tout, qui actionne toutes les manettes.» En posant ce problème, les femmes remettent en question le militantisme syndical lui-même, tel qu'il s'est pratiqué depuis des années, car, même si l'on n'en parle pas beaucoup, les hommes en subissent tout autant les excès mais d'une manière différente: divorces, taux d'alcoolisme élevé, stress, etc. Là est toute la question du syndicalisme, tant du point de vue interne que de celui de ses objectifs et de ses valeurs, qui est ainsi posée par les femmes et leurs revendications. Reconnaître pleinement la place des femmes sur le marché du travail et à l'intérieur des structures syndicales, voilà un autre défi de taille pour les syndicats québécois.

LA PLACE DES JEUNES

Les jeunes de 15 à 24 ans chôment davantage que les travailleurs des autres catégories d'âge. De fait, en 1987, leur taux de chômage était approximativement de 14,9 % contre 9,1 % pour les plus de 25 ans[19]. De plus, les jeunes acceptent plus facilement les emplois précaires, à temps partiel. Premiers licenciés lorsqu'il y a une récession ou une baisse de production, ils ont troqué les emplois à plein temps contre les emplois à temps partiel: depuis 1975, la récession a éliminé 51 000 emplois à plein temps, qui ont été remplacés par 45 000 emplois à temps partiel! Enfin, peu d'entre eux ont accès aux protections et aux avantages sociaux inhérents à un emploi régulier; pire, ils doivent souvent accepter des conditions de travail inférieures à celles des autres travailleurs, et certaines entreprises mettent en place, dans les conventions collectives, des «échelles de salaires parallèles»; ces dernières prévoient des conditions de salaire et de travail inférieures pour les personnes embauchées à partir d'une certaine date. On estime que ce genre de clause se retrouve dans 10 % des conventions collectives aux États-Unis et au Canada.

C'est un défi de taille pour les syndicats, qui se font souvent les complices de telles ententes à rabais. La problématique de l'ancienneté est donc ici posée: comment déroger à cette sacro-sainte règle pour faire de la place aux jeunes, quand elle est la pierre angulaire de tout le système de relations de travail en

Amérique du Nord? Et d'ailleurs, est-ce bien la solution au problème de l'emploi chez les jeunes? Les syndicats doivent d'abord négocier le maintien de conditions de travail égales pour les employés à temps partiel et refuser les échelles de salaires parallèles qui défavorisent les jeunes. Ils doivent cependant accepter une certaine flexibilité dans la définition des emplois: un travail à temps partiel donne de l'expérience à un jeune et il lui permet parfois de poursuivre des études, etc. En somme, le syndicalisme québécois doit adopter de nouvelles approches afin de mieux répondre aux défis des années 90.

LA DÉMOCRATIE INDUSTRIELLE, GARANTIE DE LA QUALITÉ DE VIE AU TRAVAIL

La conjoncture économique et les mutations qui modifient les valeurs poussent le syndicalisme dans le chemin de l'adaptation. La conclusion de pactes sociaux entre syndicats et patrons est la voie de l'avenir, s'il faut en croire le ministre de l'Industrie, du Commerce et de la Technologie, Gérald Tremblay, qui en donne pour preuve le renouvellement (1991) de la convention collective aux Aciers inoxydables Atlas, de Tracy, laquelle prévoit une paix industrielle de six ans en échange d'un niveau minimal d'emploi, d'un programme de formation de la main-d'œuvre, d'un plan d'embauchage régional et d'investissements nouveaux dans l'entreprise. Le ministre va jusqu'à parler d'un «modèle québécois» face aux modèles suédois, allemand, voire japonais...

«Une hirondelle ne fait pas le printemps», rappelait avec à-propos l'éditorialiste du *Devoir* Jean Francœur[20]. La démocratie industrielle, car c'est d'elle qu'il s'agit ici, implique davantage que de telles ententes qui, au fond, ne sont que des pactes temporaires conclus en l'absence d'un consensus social bien établi. La démocratie industrielle, c'est la reconnaissance des travailleurs et des travailleuses — et de leurs organisations — comme des partenaires sociaux et économiques qui ont leur mot à dire sur l'emploi, les changements technologiques, l'organisation du travail, la formation professionnelle et la rémunération du travail. Nous en sommes encore loin, au Québec comme dans le reste du pays, mais nous nous en approchons un peu quand le Conseil du Trésor daigne consulter les organisations syndicales lorsqu'il est question de geler les salaires dans la fonction publique ou de rétablir l'ancienneté des travailleurs concernés par la loi 160.

Nous nous en approcherions davantage si, tirant les leçons des années de concertation et de sommets socio-économiques du Parti québécois alors au pouvoir, le gouvernement libéral mettait en pratique les recommandations du rapport Beaudry et appliquait la loi créant une commission des relations de travail au Québec. Si les syndicats ont un bout de chemin à faire lorsqu'il s'agit de dépoussiérer leurs stratégies de confrontation, notamment dans le secteur public, l'État néo-libéral et le patronat, surtout celui qui lorgne avec envie du côté des États-Unis, ont le leur tout autant.

Comme le précisait le regretté Gérard Dion[21], les nouvelles stratégies de gestion des ressources humaines posent aux syndicats le problème de l'affrontement ou de la collaboration. Il faut espérer que, sans baisser la garde, ils explorent toutes les avenues d'une collaboration qui ne ferait, à terme, que des gagnants.

NOTES

[1] Statistique Canada. *Recensement de 1986*, Tableau LF86B07 reproduit par Diane-Gabrielle Tremblay, *Économie du travail*, Québec/Montréal, Télé-université-Éditions Saint-Martin, 1990, p. 103. Les occasionnels ont travaillé à temps partiel moins de 49 semaines.

[2] Diane-Gabrielle Tremblay, *ibid.*, pp. 103 et 104.

[3] FTQ, *Pour un progrès sans victime*, document de travail, colloque sur les changements technologiques, Montréal, FTQ, 10, 11 et 12 mars 1985, p. 12.

[4] CSN, *À nous le progrès: orientations et revendications de la CSN face aux changements technologiques*, Montréal, CSN, 1984, p. 11.

[5] CSN, *Miser sur notre monde. Rapport du comité exécutif de la CSN*, Montréal, CSN, 5-11 mai 1990, p. 9.

[6] CSD, *Technologies nouvelles*, congrès de la CSD, Québec, CSD, 1983, p. 11.

[7] FTQ, *Un syndicalisme en changement. Document de travail*, XXIe congrès, Québec, FTQ, 27 novembre-1er décembre 1989, p. 27.

[8] Dalil Maschino, «Les relations du travail au Québec dans le contexte du libre-échange Canada-États-Unis», *Le Marché du travail*, 11, 2, 1990, p. 6 à 10 et 77-78.

[9] *Ibid.*, p. 6.

[10] Québec, ministère du Travail, *Les Lois du travail, les conventions collectives et le libre-échange*, Québec, Les publications du Québec, 1989, p. 63.

[11] Monique Simard, «Libre-échange Canada/États-Unis/Mexique: un nouveau piège?», *La Presse*, 22 février 1991.

[12] Commission d'étude et de consultation sur la révision du régime des négociations collectives dans les secteurs public et parapublic, Yves Martin, président, et Lucien Bouchard, commissaire, *Rapport*, Québec, Éditeur officiel, 1978, p. 22.

[13] CSN, *Miser sur notre monde. Rapport du comité exécutif de la CSN*, Montréal, CSN, 1990, p. 65.

[14] Diane-Gabrielle Tremblay, *op. cit.*, p. 201.

[15] Monique Simard, citée par Jeanne Morazain, «Vers l'équité salariale à petits pas», *Le Devoir*, 1er mai 1991, p. 15.

[16] Hélène David, *Femmes et emploi. Le défi de l'égalité*, Montréal, PUQ-IRAT, 1986, p. 355.

[17] J. P. Deschênes, «L'équité salariale», *in* R. Blouin, dir., *Vingt-cinq ans de pratique en relations industrielles au Québec*, Cowansville, Les éditions Yvon Blais, 1990, p. 987-1007.

[18] FTQ, *La Place des femmes dans nos structures syndicales*, Rapport du comité sur l'accès à l'égalité, XXIe congrès, 27 novembre au 1er décembre 1989, 26 p.

[19] Diane-Gabrielle Tremblay, *op. cit.*, p. 137.

[20] Jean Francœur, «Une hirondelle?», *Le Devoir*, 15 avril 1991, p. 14.

[21] Gérard Dion et Gérard Hébert, «L'avenir du syndicalisme au Canada», *L'Analyste*, 24, 1988-1989, p. 54-60.

Conclusion

Nous sommes les témoins, aujourd'hui, d'une mutation importante dans le monde du travail. Le syndicalisme lui-même est en transition. Nous avons vu que, en l'espace d'un siècle environ, il est passé du statut de paria à celui d'institution sociale. Plus profondément, nous assistons à l'émergence d'une série de phénomènes complexes: disparition de la conscience du métier, fin de la conscience de classe, abandon du discours radical que les centrales avaient élaboré au cours des années 60 et 70, essor de l'individualisme et rejet des grandes utopies comme le socialisme, qui agonise à l'Est.

Ces changements accompagnent-ils ce que Pierre Rosanvallon appelle un «étiolement du mouvement social» dans les sociétés industrielles avancées? Par là, le sociologue français entend constater la dissolution des anciennes identités collectives auxquelles les gens, et les travailleurs en particulier, s'identifiaient naguère: l'appartenance à un métier, à une profession, voire à une classe sociale. Hier, le front commun de 1972 pouvait rallier la population à sa cause en utilisant le slogan «Nous, le monde ordinaire», dirigé contre les puissances d'argent et leurs serviteurs de l'État capitaliste. Aujourd'hui, bien peu de travailleurs s'identifient à une pareille rhétorique, car, depuis la fin des années 50, on assiste à une hétérogénéisation croissante de la main-d'œuvre ainsi qu'à une prolifération des types de revendications qui sont loin de converger dans la même direction. Dans un pareil contexte, les syndicats apparaissent parfois déphasés lorsqu'ils sont incapables de soutenir les chômeurs (plus d'un demi-million au Québec) et les assistés sociaux; lorsque s'instaure un marché du travail dualiste où travailleurs à plein temps et syndiqués font figure de bien nantis face aux jeunes, aux femmes et aux occasionnels.

En outre, le syndicalisme s'est de plus en plus intégré à l'État: il participe à la gestion de nombreuses entreprises du secteur public; il est consulté à l'occasion des sommets économiques; il siège à la Caisse de dépôt et de placement, à l'Office de la langue française, au Conseil du statut de la femme, au Conseil des collèges, aux conseils régionaux de développement, etc.; il soumet de nombreux mémoires et reçoit d'importantes subventions de l'État pour ses programmes de formation et d'éducation syndicale. En somme, le syndicalisme est devenu une institution sociale, un partenaire socio-économique obligé, voire une force politique qui n'hésite pas à intervenir dans l'arène électorale afin de favoriser l'élection de tel ou tel parti. Le syndicalisme contribue aujourd'hui à la régulation sociale, mais, paradoxalement, il éprouve des difficultés à entretenir et à susciter les solidarités essentielles entre des groupes de travailleurs qui sont autant de «clientèles» à la recherche de services efficaces et qui n'hésiteront pas à se constituer en syndicats indépendants pour mieux faire valoir leurs revendications.

Le défi que soulèvent la cohésion et le maintien des valeurs syndicales est aujourd'hui relevé par une nouvelle génération de leaders syndicaux. Ces derniers doivent composer avec les changements qui bouleversent le marché du travail et avec la remise en question des valeurs syndicales du passé parmi leurs propres membres. Cependant, les combats pour la justice sociale, l'égalité et le progrès de la condition ouvrière ont toujours leur place: ils changent de forme, mais le syndicalisme a toujours un rôle prépondérant à jouer à l'aube de l'an 2000.

Bibliographie

BOIVIN, Jean et Jacques GUILBAULT. *Les Relations patronales-syndicales*, 2e éd., Boucherville (Qué.), Gaëtan Morin éditeur, 1989, 301 p.

BOUDREAU, Émile, *et al. FTQ, des tout débuts jusqu'en 1965. Des milliers d'histoires qui façonnent l'histoire*, Montréal, FTQ, 1987, 384 p.

CLERMONT, Yves. «Les Structures des organisations syndicales québécoises», dans Rodrigue BLOUIN, dir., *Vingt-cinq ans de pratique en relations industrielles au Québec*, Cowansville, (Qué.), Les éditions Yvon Blais, 1990, p. 165-201.

CRAIG, Alton W. J. *The System of Industrial Relations in Canada*, 2e éd., Scarborough (Ont.), Prentice-Hall, 1986, 510 p.

CSN-CEQ. *Histoire du mouvement ouvrier au Québec/ 150 ans de luttes*, 2e éd., Montréal, coédition CSN-CEQ, 1984, 328 p.

DION, Gérard. *Dictionnaire canadien des relations du travail*, 2e éd., Québec, Presses de l'Université Laval, 1986, 993 p.

DIONNE, Bernard. *Les «Unions internationales» et le Conseil des métiers et du travail de Montréal, de 1938 à 1958*, thèse de doctorat, UQAM (histoire), 1988, 834 p.

DOFNY, Jacques et Paul BERNARD. *Le Syndicalisme au Québec: structure et mouvement*, Ottawa, Bureau du Conseil privé, 1968.

FLEURY, Gilles. «Un portrait du syndicalisme indépendant», *Le Marché du travail*, 9, 9 (septembre 1988): 64-71.

GRANT, Michel. «Vers la segmentation du syndicalisme au Québec (de la radicalisation au ressac: 1964-1989)», dans Rodrigue BLOUIN, dir., *Vingt-cinq ans de pratique en relations industrielles au Québec*, Cowansville (Qué.), Les éditions Yvon Blais, 1990, p. 309-341.

LAFLAMME, Gilles et Guylaine VALLÉE. *Patronat, Syndicats et Gouvernement face aux changements technologiques*, Québec, Département des relations industrielles, Université Laval, 1987, coll. «Instruments de travail», 73 p.

PALMER, Brian. D. *Working-Class Experience, The Rise and Reconstitution of Canadian Labour, 1800-1980*, Toronto, Butterworth, 1983.

QUÉBEC, Commission consultative sur le Travail et la révision du Code du travail. *Le Travail, une responsabilité collective. Rapport final*, Québec, Les publications du Québec, 1985, 90 p.

RACINE, France. «La syndicalisation au Québec en 1990», dans *Les Relations du travail en 1990*, encart dans *Le Marché du travail*, 11, 12 (décembre 1990): 21-28.

ROUILLARD, Jacques. *Histoire du syndicalisme québécois*, Montréal, Les Éditions du Boréal, 1989, 535 p.

STATISTIQUE CANADA, Division de l'organisation et finances de l'industrie, Section des syndicats ouvriers. *Rapport annuel du ministre de l'Industrie, des Sciences et de la Technologie présenté sous l'empire de la Loi sur les déclarations des corporations et des syndicats ouvriers, Partie II: Syndicats ouvriers*, 1988, Ottawa, Approvisionnements et Services Canada, 1990, 78 p.

Annexe 1

Lexique

Atelier fermé
Forme de sécurité syndicale en vertu de laquelle l'appartenance à un syndicat constitue une condition préalable à l'engagement d'un travailleur et au maintien de son emploi.

Code du travail
Ensemble intégré de lois et de dispositions légales relatives au droit du travail reposant sur un corps de principes fondamentaux.

Convention collective
Entente écrite relative aux conditions de travail conclue entre une ou plusieurs associations de salariés et un ou plusieurs employeurs ou associations d'employeurs.

Grève
Utilisation concertée par un groupe de travailleurs de la prestation de travail comme moyen de pression pour amener une autre partie (employeur, gouvernement, syndicat, etc.) à modifier sa position.

Maraudage
Pratique visant à recruter comme membres d'un syndicat des travailleurs qui font partie d'un autre syndicat déjà constitué.

Négociation collective
Procédé selon lequel, d'une part, un employeur, une association d'employeurs et, d'autre part, un syndicat cherchent à passer une entente sur des questions relatives aux rapports de travail dans l'intention de conclure une convention collective.

Syndicalisme
Vaste courant d'organisation de diverses catégories socio-professionnelle, ayant des buts divers mais visant ordinairement en premier lieu la défense et la promotion des intérêts économiques, sociaux et moraux de leurs membres soit dans leur travail, soit dans l'exercice de leur profession.

Syndicalisme confessionnel
Syndicalisme rattaché à un groupement religieux.

Syndicat
Association de personnes physiques ou morales ayant pour objet la représentation et la défense d'intérêts communs.

Syndicat à charte directe
Syndicat rattaché à une centrale sans l'entremise d'une fédération professionnelle.

Syndicat d'entreprise
Syndicat dominé par un patron. L'expression «syndicat de boutique» désigne la même réalité.

Syndicat de métier
Syndicat dont le critère d'admission des membres est leur appartenance à un métier déterminé.

Syndicat indépendant
Syndicat qui n'a aucun lien avec une fédération ni avec une centrale syndicale.

Syndicat industriel
Syndicat dont les membres sont groupés dans les cadres d'une industrie indépendamment des métiers ou des professions auxquels les travailleurs appartiennent.

Syndicat international
Syndicat qui a des ramifications à l'extérieur de son pays d'origine. En Amérique du Nord, les syndicats internationaux sont ceux qui regroupent les travailleurs du Canada et des États-Unis, et dont l'administration centrale est aux États-Unis.

Syndicat national
Syndicat qui limite son recrutement et concentre ses activités.

Syndicat semi-industriel
Syndicat dont les membres sont recrutés dans une industrie donnée et à l'intérieur des cadres de métiers connexes: menuisiers, charpentiers travaillant dans l'industrie du meuble, etc.

Source: Gérard Dion, *Dictionnaire canadien des relations du travail*, 2e éd. Québec, Presses de l'Université Laval, 1986, 993 p.

Annexe 2

Principales lois du travail concernant la reconnaissance syndicale, au Canada et au Québec, de 1847 à nos jours

Année	Titre	Objet
	Au Québec	
1847	Loi des maîtres et des serviteurs	Prévoit des amendes et des peines d'emprisonnement pour les travailleurs trouvés coupables de bris de contrat, d'absentéisme, d'insubordination, etc.
1912	Loi constituant en corporation la Fédération ouvrière mutuelle du Nord S.Q. 1912, c. 95	
1924	Loi des syndicats professionnels S.Q. 1924, c. 112	Incorporation des syndicats ouvriers.
1934	Loi relative à l'extension des conventions collectives S.Q. 1934, c. 56	Permet d'étendre l'application d'une convention collective à tout un secteur de l'activité économique.
1939	Loi relative à l'arbitrage des différends entre certaines institutions de charité et leurs employés S.Q. 1939, c. 60	Prohibe toute grève dans les hôpitaux et impose l'arbitrage exécutoire.
1944	Loi des relations ouvrières S.Q. 1944, c. 30	Organisation des relations de travail; droit d'association, droit de grève, négociations collectives obligatoires. Création de la Commission des relations ouvrières. Reconnaissance syndicale lorsque 60 % des travailleurs votent en faveur du syndicat; 50 % en 1945.

	S. Q. 1953-1954, c. 10	Une association qui compte parmi ses organisateurs des «communistes» ne peut être considérée comme association *bona fide* et ne peut être reconnue aux fins de la négociation collective depuis le 3 février 1944.
1944	Loi des différends entre les publics et leurs salariés S.Q. 1944, c. 31 S.Q. 1953-1954, c. 11	Abrogée en 1954: si contravention à l'interdiction de grève en cours de convention, le syndicat perd son accréditation.
1946	Loi constituant la Corporation générale des instituteurs et institutrices catholiques de Québec S.Q. 1946, c. 87	
	S.Q. 1966-1967, c. 127	Changement de nom de la corporation en celui de Corporation des enseignants du Québec.
1964	**Code du travail**	Regroupe les lois concernant les conflits de travail et leurs règlements.
	S.Q. 1964, c. 45 S.Q. 1969, cc. 47 et 48 L.Q. 1977, c. 41	Abolition de la Commission des relations du travail et son remplacement par un système d'enquêteurs. Meilleure protection au droit d'association. Imposition du vote de grève au scrutin secret. Facilite l'accréditation (35 %); retenue syndicale obligatoire (formule Rand); dispositions anti-briseurs de grève.
	L.Q. 1982, cc. 52 et 54	Élargit la protection du droit d'association.
1975	Charte des droits et libertés de la personne	Garantit la liberté d'association.
1987	Loi constituant la Commission des relations du travail	Cette loi n'est toujours pas en vigueur en 1991.

Année	Titre	Objet
		Au Canada
1872	Acte des associations ouvrières S.C. 1872, c. 30	Légalisation et enregistrement des associations ouvrières.
1889	Acte à l'effet de prévenir et supprimer les coalitions formées pour gêner le commerce S.C. 1889, c. 41 S.C. 1900, c. 46, a. 3	Rend illégales les associations formées pour gêner le commerce, dont les associations ouvrières. En 1900, on exclut ces dernières du champ d'application de la loi.
1907	Loi des enquêtes en matière de différends industriels (loi Lemieux) S.C. 1907, c. 20	Règlement des différends ouvriers, conciliation et arbitrage obligatoire dans certains secteurs jugés d'intérêt public. Favorise une certaine reconnaissance syndicale. Loi invalidée en 1925 par le Conseil privé, car elle empiète sur la juridiction provinciale.
1948	Loi sur les relations industrielles et sur les enquêtes visant les différends du travail S.C. 1948, c. 54	Accréditation des syndicats, règlement des différends du travail, négociations collectives. Couvre 10 % des travailleurs, ceux qui tombent sous la juridiction fédérale.
1960	Déclaration canadienne des droits S.C. 1960, c. 44	Reconnaît la liberté d'association comme une liberté fondamentale.
1962	Loi sur les déclarations des corporations et des syndicats ouvriers S.C. 1962, c. 26	Obligation pour un syndicat de produire une déclaration annuelle au bureau du statisticien fédéral.
1967	Loi des relations de travail dans la fonction publique S.C. 1966-1967, c. 72	Organise les relations de travail dans la fonction publique. Mise en place d'un régime de négociation collective pour les fonctionnaires.

1970	**Code canadien du travail** S.R.C. 1970, c. L-1	Refonte d'un ensemble de lois relatives au travail.
1972	Loi modifiant le Code canadien du travail S.C. 1972, c. 18	Accréditation syndicale et première convention.
1982	Charte canadienne des droits et libertés Loi constitutionnelle de 1982, partie I	Garantit la liberté d'association.
1984	Loi modifiant le Code canadien du travail S.C. 1984, c. 39	Précompte obligatoire des cotisations syndicales.

Sources: Gérard Dion, *Dictionnaire canadien des relations du travail*, 2e éd., Québec, Presses de l'Université Laval, 1986, p. 857-934; Alton W.J. Craig, *The System of Industrial Relations in Canada*, 2e éd., Scarborough, Prentice-Hall, 1986, 510 p.; Pierre Girouard, «L'évolution législative du régime d'accréditation à caractère majoritaire au Québec», *in* R. Blouin, dir., *Vingt-cinq ans de pratique en relations industrielles au Québec*, Cowansville, Les éditions Yvon Blais, 1990, p. 347-360.

Achevé d'imprimer en août 1991